Noël 2018

Pour se souven

précédent président

américain...

COLLECTION FOLIO

Barack Obama

Discours choisis

Anthologie constituée, traduite, présentée
et annotée par Juliette Bourdin

Gallimard

Source des discours :
The White House — Office of the Press Secretary.
https://obamawhitehouse.archives.gov

PRÉSENTATION

Le 27 juillet 2004, un jeune élu démocrate afro-américain, grand, mince, tout sourire, s'avance avec aisance sur la scène du FleetCenter de Boston. Remarqué quatre mois plus tôt par son écrasante victoire dans une primaire de l'Illinois, il a été sollicité pour prononcer le discours d'ouverture de la convention nationale démocrate qui doit officialiser la nomination de John Kerry, le candidat du parti à l'élection présidentielle prévue pour novembre de la même année. Avec une éloquence impressionnante et une remarquable force de conviction, cet élu de quarante-trois ans présente sa vision du pays, en insistant sur l'union et en prônant la *ré*-union d'une nation qui montre toujours plus de signes de fragmentation : « Il n'y a pas une Amérique progressiste et une Amérique conservatrice : il y a les États-Unis d'Amérique. [...] Il n'y a pas une Amérique noire, une Amérique blanche, une Amérique latino et une Amérique asiatique : il y a les États-Unis d'Amérique. » Électrisée, la foule applaudit à tout rompre cette

étoile montante du Parti démocrate, et celui qui
était encore largement inconnu du grand public
est considéré, du jour au lendemain, grâce à la
puissance de sa rhétorique, comme un nouveau
candidat potentiel à la Maison-Blanche. Son
nom : Barack Hussein Obama II.

Né d'un père noir originaire du Kenya et d'une
mère blanche native du Kansas, Barack Obama
voit le jour le 4 août 1961 à Honolulu, dans l'État
d'Hawaï, et grandit dans un environnement cos-
mopolite et multiethnique. Après le divorce de
ses parents en 1964, il passe plusieurs années à
Jakarta suite au remariage de sa mère avec un
Indonésien, puis finit par retourner à Hawaï où il
est élevé en grande partie par ses grands-parents
maternels. Lorsque sonne l'heure des études supé-
rieures, il rejoint le continent et se spécialise en
sciences politiques, d'abord à l'Occidental College
de la banlieue de Los Angeles, puis à l'université
Columbia à New York. C'est en 1985 qu'Obama
s'installe à Chicago, sa ville d'adoption, où il
œuvre comme travailleur social dans la banlieue
pauvre de South Side et découvre ainsi la réalité
de la communauté noire, dont sa vie en dehors
des États-Unis continentaux l'avait tenu éloigné.
Trois ans plus tard, il intègre la très élitiste faculté
de droit de Harvard, où sa nomination en tant
que premier président afro-américain de la pres-
tigieuse revue *Harvard Law Review* attire l'attention des médias. Il rencontre peu après Michelle
Robinson, jeune avocate au sein d'un cabinet de

Chicago où il travaille l'été. Ils se marient en 1992 et auront deux filles, Malia, née en 1998, et Sasha, en 2001.

Barack Obama rejoint le Parti démocrate, devient de plus en plus actif politiquement et se distingue notamment grâce à son talent oratoire. Élu au sénat de l'Illinois à partir de 1996, il ne cache pas son opposition au projet d'intervention militaire en Irak présenté par le gouvernement de George W. Bush en octobre 2002, déclarant alors : « Je ne suis pas contre toutes les guerres. Je suis contre les guerres stupides. » Décidé à élargir ses ambitions à l'échelle nationale, Obama se présente à la primaire démocrate de l'Illinois en vue des élections au Sénat fédéral, et sa victoire haut la main ne passe pas inaperçue auprès des cadres du parti qui l'invitent donc à prononcer le discours d'ouverture de la convention nationale démocrate de juillet 2004.

Fait assez rare pour être souligné : c'est un discours qui projette Barack Obama sur le devant de la scène et le fait connaître dans tout le pays. À partir de ce moment-là, son ascension est fulgurante. Pressenti pour être un candidat potentiel à la présidence des États-Unis, il annonce dès 2007 son intention de se présenter à la primaire démocrate pour l'élection de 2008. Alors que Hillary Clinton est la grande favorite, Barack Obama, en position d'outsider, enchaîne cependant les succès et réussit surtout à prendre le contre-pied des critiques et des attaques suscitées par sa proximité

avec le sulfureux révérend Wright, qui aurait pu
lui coûter la nomination : dans un discours, prononcé le 18 mars 2008 et instantanément devenu
célèbre, Obama évoque avec une rare franchise la
question raciale en Amérique. À cette occasion,
il s'inspire de son expérience personnelle pour
mieux célébrer le rêve américain et les principes
fondateurs du pays, notamment la devise de la
nation, *E pluribus unum* :

> Jusqu'à la fin de mes jours, je n'oublierai jamais
> que mon histoire ne serait pas même concevable
> dans tout autre pays sur Terre. C'est une histoire
> qui n'a pas fait de moi le candidat le plus conven-
> tionnel. Mais c'est une histoire qui a profondément
> inscrit dans mes gènes l'idée que cette nation est
> plus que la somme de ses parties : qu'*à partir de
> plusieurs, nous ne sommes vraiment qu'un.*

Après celui de 2004, cet autre discours contribue particulièrement à forger sa réputation d'ora-
teur, car il illustre la capacité d'Obama d'utiliser
la parole publique pour expliciter son point de
vue, aborder franchement certaines questions
délicates, répondre sans détour aux critiques qui
lui sont adressées, voire déjouer les pièges qui lui
sont tendus.

Au cours de la campagne, ce sont en grande
partie ses mots, sa rhétorique, sa capacité à
ancrer son propos dans l'Histoire pour mieux
comprendre le présent et tâcher d'emprunter
le meilleur chemin, qui permettent à Obama,
contre toute attente et malgré bien des obstacles,

de rallier une majorité d'Américains à son projet pour le pays. Ses slogans emblématiques — « *Yes, we can* » ou « l'audace de l'espoir » — suscitent l'enthousiasme, franchissent même les frontières des États-Unis, et reviendront comme un leitmotiv tout au long de sa présidence. Mais dans le célèbre « *Yes, we can* », le mot essentiel n'est pas tant le « *can* » que le « *we* », comme Obama l'indiquera lui-même dans son discours à Selma en 2015 : c'est ce « nous » qui prime et qu'il reprend sans cesse dans ses allocutions, lorsqu'il appelle inlassablement à l'unité et qu'il insiste sur l'union de toutes et de tous dans le pays.

Au terme d'une âpre primaire qu'il finit par remporter contre Hillary Clinton, Obama se lance ensuite dans la course à la Maison-Blanche contre le candidat républicain John McCain. Le 4 novembre 2008, il est élu président des États-Unis en remportant près de 53 % du vote populaire, puis il sera réélu le 6 novembre 2012, avec 51 % des voix, contre le républicain Mitt Romney. Sa parole, *de facto*, entre dans l'Histoire.

Il faut dire que, depuis la naissance du pays, les discours présidentiels ont toujours occupé une place importante dans la vie démocratique des États-Unis. Que ce soit par obligation constitutionnelle (tel le message annuel sur l'état de l'Union) ou par tradition (le discours d'investiture et les adieux instaurés par George Washington), le président, en tant que commandant en chef mais aussi et surtout en tant que principal leader de cette immense république fédérale, reçoit comme devoir de préserver l'union et comme prérogative d'incarner la voix de la nation tant sur la scène intérieure que sur la scène internationale.

Certains discours célèbres ont fini par s'ancrer dans la conscience et dans la mémoire collectives, tels des phares qui éclairent l'histoire de la jeune nation : le message d'adieu de George Washington, en 1796, devient d'emblée l'exemple à suivre pour ses successeurs, tandis que les nombreux discours d'Abraham Lincoln, notamment celui de Gettysburg prononcé en pleine guerre de Sécession en 1863, ont nourri le mythe national et pris leur place aux côtés des textes fondateurs que sont la Déclaration d'indépendance de 1776 et la Constitution américaine de 1787.

Au XXᵉ siècle, l'influence croissante du pouvoir exécutif et l'essor de nouveaux moyens de communication donnent une portée considérable aux discours du président, qui exerce un leadership accru tant concrètement que symboliquement. Cela ne signifie pas pour autant que les présidents soient nécessairement de grands orateurs. Depuis le début du XXᵉ siècle, ceux qui brillent par la qualité et par l'efficacité de leurs discours restent peu nombreux : figure paternelle rassurante s'il en est, Franklin Roosevelt utilise adroitement la radio pour se rapprocher de ses concitoyens lors de ses « causeries au coin du feu », véritable outil de la communication présidentielle pendant les temps difficiles de la Grande Dépression puis de la Seconde Guerre mondiale ; John F. Kennedy démontre la même habileté en maîtrisant le nouvel instrument de communication de masse qu'est la télévision et en remportant le premier débat télévisé organisé lors de la campagne pour l'élection présidentielle de 1960 ; Ronald Reagan possède une capacité à véhiculer ses idées et à faire passer ses messages qui lui vaut d'être surnommé « le grand communicateur » ; quant à Bill Clinton, il est doué non seulement pour prendre la parole mais aussi pour manier l'humour et trouver les expressions qui font mouche.

Barack Obama, indéniablement, s'inscrit parmi les rares élus à la Maison-Blanche qui ont su se distinguer comme de grands orateurs. Cet art rhétorique, stylistique et scénique a été reconnu par tous, à commencer par le principal intéressé. « J'ai un don », admet-il sans pavoiser lors d'un échange avec un sénateur en 2009, avec l'humilité du simple constat[1]. Obama met donc ce talent au service de sa carrière politique, et il ne fait aucun doute que ce puissant atout renforce largement la capacité de ce candidat, à première vue « improbable », à conquérir la Maison-Blanche, puis, une fois élu, à devenir le meilleur avocat de ses propres causes lors des innombrables occasions de s'exprimer que lui offrent ses huit années en tant que président.

Bien que cette anthologie ne couvre pas l'ensemble de la carrière politique de Barack Obama

---

1. Cité dans E. J. Dionne Jr. et Joy-Ann Reid, éd., *We Are the Change We Seek : The Speeches of Barack Obama*, Londres, Bloomsbury, p. XII.

et se concentre uniquement sur sa présidence, de nombreux textes auraient mérité d'y figurer : l'on songe notamment à son discours de réception du prix Nobel de la paix à Oslo en 2009 (difficile à abréger sous peine de mutiler son argumentation sur la guerre et la paix) ; l'on songe aussi à son éloge funèbre en mémoire de Clementa Pinckney, ce pasteur noir assassiné avec huit autres fidèles dans une église de Charleston, en Caroline du Sud, en juin 2015, éloge empli de recueillement qu'Obama termine en entonnant, à la surprise générale, le cantique *Amazing Grace* ; l'on songe encore à son ultime discours devant l'Assemblée générale des Nations unies en septembre 2016, qui apparaît comme un bilan et un adieu à la communauté internationale. Devant l'embarras du choix, certains critères ont guidé cette sélection qui s'ouvre et se clôt symboliquement sur le tout premier et le tout dernier discours d'Obama en tant que président.

L'objectif premier est de proposer un florilège des thèmes marquants ou représentatifs de ses années à la Maison-Blanche, et de trouver l'équilibre entre les questions internationales (le monde musulman, la jeunesse européenne, le changement climatique) et celles qui relèvent plus strictement de problématiques propres à l'Amérique (la santé, les armes à feu, la question raciale).

La priorité a également été donnée aux discours susceptibles d'être reproduits dans leur intégralité — chose peu aisée tant Obama aime à s'exprimer longuement —, afin de laisser toute leur place à

la structure et à l'enchaînement de l'argumentation, autrement dit : à la pensée Obama. Les textes
nécessitant des coupes ont été choisis en fonction de leur thématique, mais aussi selon que leur
composition permet de raccourcir sans estropier,
de réduire sans tronquer, de conserver toute l'essence et la cohérence de la rhétorique.

Enfin, l'idée est d'offrir au lecteur les mots du
président, mais aussi l'incarnation de sa parole et
les éventuelles manifestations du public auquel il
s'adresse. Car un discours est également, intrinsèquement, une matière vivante qui s'inscrit en
un temps et en un lieu. Si certains sont prononcés dans un cadre institutionnel peu propice aux
réactions de l'auditoire (comme l'ouverture de la
COP 21 à Paris), d'autres, en revanche, possèdent
une charge émotionnelle qu'il faut retranscrire
pour qu'ils puissent respirer, s'animer, prendre
toute leur ampleur et toute leur signification.
C'est pourquoi certains discours sont accompa-
gnés d'un paratexte décrivant les inflexions parti-
culières d'Obama et les réactions du public. C'est
pourquoi, également, les adieux — texte sensible-
ment plus long que les autres dans cette anthologie — ont été conservés dans leur intégralité et
ponctués des très nombreuses manifestations du
public. Le lecteur piqué par la curiosité pourra
sans peine retrouver sur Internet les vidéos des
discours proposés ici.

Barack Obama est en effet doué non seulement
pour rédiger des discours mais aussi pour les prononcer. Tel un acteur, il sait incarner sa parole

et faire passer ses messages, et bien qu'il prépare ses interventions avec le plus grand soin, il donne souvent l'impression de s'adresser spontanément à son auditoire, comme si les mots lui venaient directement du cœur. Il possède un talent de comédien et plus généralement un grand sens de l'humour, comme le démontrent ses prestations lors du dîner annuel de l'association des correspondants de la Maison-Blanche, auquel participe généralement le président en exercice qui accepte le plus souvent de se livrer à une forme d'autodérision. Cette capacité à faire rire, à chanter, à se mettre en scène a pu conduire certains critiques à douter de sa sincérité et de son authenticité, notamment lorsqu'il s'exprime à la suite de tragiques fusillades en essuyant quelques larmes. Toutefois, si Obama est conscient que ses discours lui offrent parfois un avantage décisif, il n'a pas moins conscience que les mots seuls ne peuvent suffire à résoudre les problèmes (comme il le rappelle au Caire en 2009), ni à traduire la profondeur du chagrin (ainsi qu'il l'exprime après la tuerie à l'école primaire Sandy Hook en 2012).

Cette anthologie met également en évidence les différentes sources d'inspiration de Barack Obama, en particulier quatre modèles — deux hommes et deux textes — qui se démarquent par leur récurrence dans sa pensée et dans sa rhétorique.

Abraham Lincoln, d'abord, apparaît comme une sorte de figure tutélaire : surnommé le Grand Émancipateur, Lincoln était lui aussi avocat et venait également de l'Illinois, l'État d'adoption d'Obama. Sa très célèbre formule sur le « gouvernement du peuple, par le peuple, pour le peuple », énoncée lors du discours de Gettysburg, fait partie des citations les plus fréquemment utilisées par Obama. Martin Luther King, ensuite, est une autre influence majeure, non seulement parce que l'emblématique militant des droits civiques prônait la non-violence, la désobéissance civile et le « rêve » de fraternité — ce « nous » collectif si cher à Obama —, mais aussi, tout simplement, parce que le charismatique pasteur était l'un des plus grands orateurs du pays, par la force de son message, par la beauté de son verbe et par la puissance de son éloquence.

Les deux grands textes de référence sont, bien entendu, la Déclaration d'indépendance de 1776 et la Constitution de 1787, ces véritables piliers de la nation américaine. Obama s'y réfère inlassablement, dans presque tous ses discours, rappelant le principe fondateur que « tous les hommes sont créés égaux », les droits inaliénables que sont « la vie, la liberté et la poursuite du bonheur », l'objectif sublime et suprême d'une « union plus parfaite », la devise de la patrie *E pluribus unum*, cette unité dans la pluralité, cette union qui fait la force et qui lui tient tant à cœur.

Ce sont justement ces références constantes aux principes fondateurs du pays, à ce socle philosophique et institutionnel sur lequel repose la nation, c'est cet ancrage profond dans une histoire nationale aussi exaltante que tragique, ce rappel du passé pour mieux éclairer les enjeux du présent et tâcher de construire l'avenir, c'est toute cette matière caractéristique de la rhétorique de Barack Obama qui explique également pourquoi ses discours resteront un héritage pérenne et une source d'inspiration pour les générations présentes et à venir.

JULIETTE BOURDIN

Discours

L'investiture

WASHINGTON, 21 JANVIER 2009
(discours intégral)

Sous le soleil resplendissant d'une froide journée de janvier, Barack Obama, après avoir prêté serment, se rend sur les marches de la façade ouest du Capitole pour y prononcer son tout premier discours en tant que président des États-Unis. Plus d'un million de personnes se pressent sur l'esplanade nationale pour assister à ce moment historique : l'investiture de leur premier président afro-américain.

Alors qu'il a galvanisé les foules pendant sa campagne, Obama prononce une première allocution de facture sobre et classique, usant d'un ton conciliant et non partisan en adéquation avec la solennité du moment — notamment dans le contexte de la sévère crise financière qui frappe le pays depuis 2007 —, et fidèle à l'esprit d'Abraham Lincoln, dont on célèbre le 200ᵉ anniversaire de la naissance. Obama a d'ailleurs prêté serment sur la bible utilisée lors de l'investiture de Lincoln en 1861 en cette journée dédiée au Grand Émancipateur.

Mes chers concitoyens,
Je m'adresse à vous aujourd'hui empli d'humilité

devant la tâche qui nous attend, reconnaissant de la confiance que vous m'accordez et conscient des sacrifices consentis par nos ancêtres.

Je remercie le président Bush pour ses services à la nation (*Applaudissements*), ainsi que pour la générosité et la coopération dont il a fait montre tout au long de cette transition.

Quarante-quatre Américains ont désormais prêté le serment présidentiel. Leurs mots ont été prononcés lors de vagues croissantes de prospérité et au milieu des eaux tranquilles de la paix. Il arrive toutefois que ce serment soit prêté alors même que les nuages s'amoncellent et que les éléments se déchaînent. Dans ces moments-là, l'Amérique a tenu bon, pas uniquement grâce au talent ou à la vision de ceux qui exercent les plus hautes fonctions, mais parce que *nous*, le peuple, sommes restés fidèles aux idéaux de nos ancêtres et respectueux de nos textes fondateurs.

Il en a été ainsi par le passé. Il doit en être ainsi pour *notre* génération.

Le pays a maintenant bien compris la réalité de la crise actuelle. Notre nation est en guerre contre un vaste réseau de violence et de haine. Notre économie est gravement affaiblie, à cause de l'avidité et de l'irresponsabilité de certains, mais également à cause de notre incapacité collective à opérer des choix difficiles et à préparer la nation à entrer dans une nouvelle ère. Des maisons ont été perdues, des emplois supprimés, des entreprises fermées. Notre système de santé est trop coûteux, il y a trop d'échec scolaire, et chaque jour apporte un peu plus la preuve que notre façon d'utiliser l'énergie renforce nos adversaires et menace notre planète.

Ce sont là les indicateurs de la crise qui font l'objet de données et de statistiques. Un signe plus difficilement mesurable mais tout aussi profond est l'érosion de la confiance à travers le pays, la crainte persistante que le déclin de l'Amérique soit inévitable et que la prochaine génération doive viser moins haut que les précédentes.

Je veux vous dire aujourd'hui que les défis auxquels nous sommes confrontés sont tangibles. Ils sont sérieux et ils sont nombreux. Les relever ne sera ni facile ni rapide. Mais que l'Amérique le sache : ces défis seront bel et bien relevés. (*Applaudissements.*)

En ce jour, nous sommes réunis parce que nous avons préféré l'espoir à la crainte, l'union au conflit et à la dissension. En ce jour, nous sommes venus proclamer la fin des doléances mesquines et des fausses promesses, des récriminations et des dogmes éculés qui ont trop longtemps étouffé la vie politique du pays. Nous demeurons une jeune nation, mais comme le disent les Saintes Écritures, le temps est venu d'oublier les enfantillages. Le temps est venu de réaffirmer notre persévérance, de choisir le meilleur de notre histoire, de faire progresser ce don précieux, cette noble idée transmise de génération en génération : la promesse divine selon laquelle nous sommes *tous* égaux, nous sommes *tous* libres et nous avons *tous* droit à la quête du bonheur[1]. (*Applaudisse-ments*.)

En réaffirmant la grandeur de notre nation, nous comprenons que celle-ci n'est jamais un dû. Elle doit se mériter. Notre parcours n'a jamais signifié d'emprunter des raccourcis ou de rabaisser nos prétentions. Notre chemin n'est pas fait pour les timorés, pour ceux qui préfèrent l'oisiveté au travail, ou qui ne recherchent que les plaisirs de la fortune et de la célébrité. Au contraire, ce sont ceux qui prennent des risques, ceux qui agissent, ceux qui construisent — parmi lesquels on compte des hommes et des femmes illustres, mais le plus souvent des travailleurs de l'ombre — qui nous ont fait gravir le long chemin ardu vers la prospérité et la liberté.

C'est pour *nous* qu'ils ont rassemblé leurs quelques effets personnels et traversé les océans en quête d'une nouvelle vie. Pour *nous* qu'ils ont sué sang et eau dans les ateliers, peuplé l'Ouest, supporté les coups de fouet et péniblement labouré la terre. Pour *nous* qu'ils ont combattu et perdu la vie en des lieux tels que Concord et Gettysburg, la Normandie et Khe Sahn[2].

Maintes fois, ces hommes et ces femmes ont lutté, sacrifié et travaillé jusqu'à en avoir les mains à vif afin que nous puissions vivre une vie meilleure. À leurs yeux, l'Amérique dépassait la somme

1. Référence à la Déclaration d'indépendance des États-Unis. (Toutes les notes sont de la traductrice.)
2. Allusions à la guerre d'Indépendance, la guerre de Sécession, la Seconde Guerre mondiale et la guerre du Vietnam.

de nos ambitions personnelles, surpassait toutes les différences d'origine sociale, de richesse ou d'opinion.

C'est ce voyage que nous poursuivons aujourd'hui. Nous sommes toujours la nation la plus prospère et la plus puissante au monde. Nos travailleurs sont tout aussi productifs qu'avant la crise. Nos esprits sont tout aussi inventifs, nos biens et nos services tout aussi nécessaires qu'ils l'étaient il y a une semaine, un mois ou un an. Notre capacité n'a pas diminué. Mais le temps où nous refusions d'agir, où nous protégions des intérêts particuliers et où nous remettions à plus tard les décisions déplaisantes — ce temps-là est certainement révolu. À partir d'aujourd'hui, nous devons nous relever, nous ressaisir et nous remettre à reconstruire l'Amérique. (*Applaudissements*.)

Car partout où nos regards se tournent, il y a du travail à accomplir. L'état de notre économie nécessite que nous prenions des mesures avec courage et célérité. Et nous allons agir, non seulement pour créer de nouveaux emplois, mais aussi pour poser les nouvelles bases de la croissance. Nous allons construire les routes et les ponts, les réseaux électriques et les lignes d'accès numérique qui alimentent notre commerce et nous relient les uns aux autres. Nous allons redonner à la science la place qui lui revient et employer les merveilles de la technologie afin d'améliorer la qualité de notre système de santé et d'en abaisser le coût. Nous allons exploiter le soleil, le vent et la terre pour faire marcher nos voitures et nos usines. Et nous allons transformer nos écoles et nos universités pour répondre aux exigences de cette ère nouvelle qui s'ouvre. Tout cela, nous *pouvons* le faire et nous *allons* le faire.

Certains contestent l'ampleur de nos ambitions et considèrent que notre système ne saurait supporter de trop nombreux projets d'envergure. Ils ont la mémoire courte, car ils ont oublié ce que ce pays a déjà accompli, et de quoi les hommes et les femmes libres sont capables lorsque imagination rime avec cause commune, et nécessité avec courage. Ce que les cyniques n'arrivent pas à comprendre, c'est que les choses ont changé et que les vieux arguments politiques qui nous ont absorbés si longtemps sont désormais dépassés.

La question que nous posons aujourd'hui n'est pas de savoir si notre gouvernement a trop ou pas assez de pouvoir, mais de savoir s'il fonctionne, s'il aide les familles à trouver des emplois correctement rémunérés, à bénéficier de soins abordables et d'une retraite digne de ce nom. Quand la réponse sera oui, nous avons l'intention d'aller de l'avant. Quand la réponse sera non, nous mettrons fin aux programmes. Et ceux d'entre nous qui gèrent les deniers publics devront rendre des comptes, dépenser l'argent à bon escient, changer les mauvaises habitudes et faire leur travail en toute transparence, car ce n'est qu'ainsi que nous pourrons rétablir la confiance essentielle entre un peuple et son gouvernement.

La question qui se pose à nous n'est pas non

plus de savoir si le marché est une force qui agit pour le meilleur ou pour le pire. Sa capacité à produire de la richesse et à renforcer la liberté est sans égale. Mais cette crise nous a rappelé que si nous n'y prenons garde, le marché peut devenir incontrôlable. Notre nation ne peut pas prospérer longtemps si elle ne favorise que les riches. De tout temps, notre réussite économique n'a pas dépendu seulement de la valeur de notre produit intérieur brut, mais également de la portée de notre prospérité, de notre capacité à offrir des chances à toutes les personnes de bonne volonté — non pas par charité, mais parce que c'est le chemin le plus sûr vers notre bien commun. (*Applaudissements*.)

Quant à notre défense commune, nous récusons l'idée fallacieuse qui nous imposerait de choisir entre notre sécurité et nos idéaux. Nos Pères fondateurs (*Applaudissements*), nos Pères fondateurs, confrontés à des dangers que nous pouvons difficilement imaginer, rédigèrent une charte qui garantit l'autorité de la loi et les droits humains — une charte consolidée par le sang de plusieurs générations. Ces idéaux continuent d'éclairer le monde, et nous n'y renoncerons pas par opportunisme. (*Applaudissements*.)

Ainsi, à tous les autres peuples et gouvernements qui nous regardent aujourd'hui, depuis les plus grandes capitales jusqu'au petit village qui a vu naître mon père, je veux dire ceci : sachez que l'Amérique est l'amie de toutes les nations et de tous les hommes, femmes et enfants qui aspirent à la paix et à la dignité, et que nous sommes à

nouveau prêts à guider la marche du monde.
(*Applaudissements*.)

Souvenez-vous que nos prédécesseurs surent
tenir tête au fascisme et au communisme non
seulement avec des missiles et des chars, mais
également grâce à la solidité de leurs alliances et
à la force de leurs convictions. Ils comprenaient
que notre puissance, à elle seule, ne peut pas nous
protéger, pas plus qu'elle ne nous donne le droit
d'agir à notre guise. Ils savaient qu'au contraire
notre puissance augmente lorsqu'elle est utilisée
avec prudence, que notre sécurité émane du bien-
fondé de notre cause, de la force de notre exemple
et de la modération inhérente à l'humilité et à la
retenue.

Nous sommes les gardiens de cet héritage. En
respectant à nouveau ces principes, nous pouvons
faire face à ces nouvelles menaces qui exigent
davantage d'efforts, davantage de coopération
et de compréhension entre les nations. Nous
allons commencer par agir de façon responsable
en laissant les Irakiens s'occuper de leur pays et
en construisant une paix durement gagnée en
Afghanistan. Avec nos vieux amis et nos anciens
ennemis, nous allons travailler sans relâche pour
diminuer la menace nucléaire et faire reculer le
spectre du réchauffement de la planète.

Nous n'allons ni nous excuser pour notre mode
de vie, ni hésiter à le défendre avec fermeté. À
ceux qui cherchent à promouvoir leurs objectifs
en propageant la terreur et en massacrant des
innocents, nous disons aujourd'hui que notre

détermination est plus forte encore et ne peut être brisée. Vous ne pourrez pas nous anéantir : nous vous vaincrons. (*Applaudissements.*)

Car nous savons que la diversité qui constitue notre héritage commun est une force et non une faiblesse. Nous sommes une nation composée de chrétiens et de musulmans, de juifs, d'hindous et d'athées. Nous sommes façonnés par toutes les langues et cultures issues des quatre coins de la Terre. Et parce que nous avons connu la lie amère de la guerre civile et de la ségrégation et que nous sommes sortis plus forts et plus unis de ce chapitre sombre de notre histoire, nous ne pouvons nous empêcher de croire que les vieilles haines finiront un jour par disparaître, que l'esprit de clan s'effacera bientôt, qu'à mesure que le monde rapetisse notre humanité commune se révélera, et que l'Amérique doit jouer son rôle en inaugurant une nouvelle ère de paix.

Au monde musulman, nous déclarons rechercher une nouvelle voie, fondée sur les intérêts réciproques et le respect mutuel. À ces dirigeants qui, de part et d'autre de la planète, cherchent à semer le conflit ou qui tiennent l'Occident pour responsable des maux dont souffrent leurs sociétés, nous disons : sachez que votre peuple vous jugera sur ce que vous pouvez construire, non pas sur ce que vous détruisez. (*Applaudissements.*)

À ceux qui s'accrochent au pouvoir par la corruption, la dissimulation et le musellement de l'opposition, nous disons : sachez que vous êtes du mauvais côté de l'Histoire, mais que nous vous tendrons la main si vous êtes prêts à desserrer le poing. (*Applaudissements.*)

Aux peuples des nations pauvres, nous affirmons notre engagement à travailler à vos côtés pour faire prospérer vos fermes et faire circuler l'eau potable, pour nourrir les corps et les esprits affamés. Et aux pays qui, comme le nôtre, jouissent d'une relative opulence, nous déclarons que nous ne pouvons plus nous permettre de rester indifférents aux souffrances de ceux qui vivent hors de nos frontières, ni d'épuiser les ressources du monde sans se soucier des conséquences. Car le monde a changé, et nous devons changer avec lui.

En considérant le rôle qui se présente à nous, nous songeons avec une reconnaissance pleine d'humilité à ces Américains courageux qui, en ce moment même, patrouillent dans des déserts reculés et de lointaines montagnes. Ils ont des choses à nous dire, tout comme les héros morts au combat reposant à Arlington murmurent à travers les siècles.

Nous leur rendons hommage non seulement parce qu'ils sont les gardiens de notre liberté, mais également parce qu'ils incarnent l'esprit de service : la volonté de trouver du sens dans quelque chose qui nous transcende.

Et en ce moment même — ce moment qui définira une génération — c'est précisément cet état d'esprit qui doit tous nous habiter. Car quels que soient les pouvoirs et les devoirs du gouvernement, c'est en fin de compte sur la foi et sur la détermination du peuple américain que repose cette nation. C'est l'hospitalité bienveillante dont on fait montre envers un inconnu lorsque les digues se rompent[1], c'est l'altruisme dont font preuve les travailleurs qui préfèrent réduire leurs heures de travail plutôt que de voir un ami perdre son emploi, qui nous aident à traverser les heures les plus sombres. C'est le courage du pompier qui se lance à l'assaut d'un escalier rempli de fumée[2], mais c'est aussi la volonté du parent de faire grandir un enfant qui décident en définitive de notre destin.

Nos défis sont peut-être nouveaux, tout comme nos instruments pour les relever. Mais les valeurs dont dépend notre réussite — l'honnêteté et l'éthique du travail, le courage et le respect des règles, la tolérance et la curiosité, la loyauté et le patriotisme —, ces valeurs sont anciennes. Ces valeurs sont *vraies*. Elles ont constitué la force tranquille du progrès tout au long de notre histoire.

Il nous faut donc revenir à ces vérités. Il nous faut maintenant instaurer une nouvelle ère de responsabilité : que nous tous, Américains, reconnaissions que nous avons des devoirs envers nous-mêmes, envers notre nation et envers le monde. Des devoirs que nous n'acceptons pas à contrecœur, mais au contraire que nous assumons de bonne grâce, avec la certitude que rien n'est plus satisfaisant pour l'esprit ni plus révélateur

1. Allusion à l'ouragan Katrina qui a dévasté La Nouvelle-Orléans en 2005.
2. Allusion aux attentats du 11-Septembre.

de notre caractère national que de donner notre maximum pour effectuer une tâche difficile.

C'est là le prix et la promesse de la citoyenneté. C'est là la source de notre confiance : savoir que Dieu nous appelle à façonner un destin incertain. C'est là le sens de notre liberté et de notre credo : c'est pourquoi des hommes, des femmes et des enfants de toutes races et de toutes croyances peuvent se rassembler dans une cérémonie sur cette magnifique esplanade, et c'est pourquoi un homme, dont le père aurait pu ne pas être servi dans un restaurant de cette ville il y a moins de soixante ans, peut maintenant se tenir devant vous pour prêter l'un des serments les plus sacrés. (*Applaudissements.*)

Marquons donc ce jour en nous rappelant qui nous sommes et en mesurant le chemin parcouru. L'année où naquit l'Amérique, pendant les mois les plus rigoureux, un petit groupe de patriotes se blottissait autour de feux de camp mourants au bord d'une rivière glacée. La capitale était abandonnée. L'ennemi avançait. La neige était tachée de sang. Au moment où le sort de notre révolution était le plus incertain, le Père de notre nation[1] ordonna que ces mots fussent lus au peuple : « Qu'il soit raconté aux générations futures qu'au cœur de l'hiver, alors que seuls subsistaient l'espoir et la vertu, villes et campagnes, s'alarmant d'un danger commun, prirent les devants pour l'affronter[2]. »

---

1. George Washington.
2. Extrait de *La Crise américaine*, écrit par Thomas Paine pendant la guerre d'Indépendance.

Peuple d'Amérique ! Face à nos dangers communs, en cet hiver d'adversité, souvenons-nous de ces paroles intemporelles. Avec espoir et vertu, bravons une fois de plus les courants glacés et affrontons les tempêtes à venir. Que les enfants de nos enfants puissent raconter que lorsque nous avons été mis à l'épreuve, nous avons refusé que ce voyage se termine, nous n'avons ni reculé ni faibli et, les yeux fixés sur l'horizon et avec la grâce de Dieu, nous avons fait progresser ce don merveilleux qu'est la liberté et l'avons transmis intact aux générations futures.

Je vous remercie. Que Dieu vous bénisse et bénisse les États-Unis d'Amérique. (*Applaudissements.*)

Le discours
au monde musulman

UNIVERSITÉ DU CAIRE,
4 JUIN 2009
(extraits)

Dès le commencement de son premier mandat, Barack Obama rompt avec la politique étrangère de son prédécesseur à la Maison-Blanche, George W. Bush, et se rend en Égypte pour s'adresser aux musulmans du monde entier dans un discours considéré d'emblée comme historique. De même qu'il insiste sur l'union et la (ré)conciliation au sein de son pays, il propose également un « nouveau départ » dans les relations entre le monde occidental et les musulmans, prônant avec conviction et sans angélisme l'entente et la coopération entre les peuples. La franchise de son discours, notamment sur le rôle des États-Unis au Moyen-Orient, est appréciée par le monde musulman, mais sera vivement critiquée en Amérique par ses détracteurs les plus virulents.

(*Longs applaudissements.*) Merci beaucoup. Bonjour. Je suis honoré de me trouver dans cette ville intemporelle qu'est Le Caire et d'y être accueilli par deux institutions remarquables. Depuis plus de mille ans, Al-Azhar est un phare de l'érudition islamique, et depuis plus d'un siècle, l'université du Caire est une source de développement pour l'Égypte. Ensemble, vous représentez l'harmonie entre tradition et progrès. Je suis reconnaissant de votre hospitalité et de celle du peuple égyptien. Et je suis également fier de vous apporter l'amitié du peuple américain et une salutation de paix de la part des communautés musulmanes de mon pays : *Assalamu alaykum.* (*Applaudissements.*)

Notre rencontre a lieu dans une période de grande tension entre les États-Unis et les musulmans du monde entier — une tension ancrée dans des forces historiques qui vont au-delà de tout débat politique actuel. La relation entre l'islam et l'Occident s'est constituée au cours de siècles de coexistence et de coopération, mais aussi de conflits et de guerres de religion. Plus récemment, la tension a été nourrie par le colonialisme, qui a nié droits et opportunités à de nombreux musulmans, et par une guerre froide, dans laquelle les pays à majorité musulmane étaient trop souvent traités comme des intermédiaires sans que l'on tienne compte de leurs aspirations. En outre, le changement radical apporté par la modernité et par la mondialisation a conduit de nombreux musulmans à considérer l'Occident comme hostile aux traditions de l'islam.

Les extrémistes violents ont exploité ces tensions au sein d'une petite mais néanmoins puissante minorité de musulmans. Les attentats du 11 septembre 2001 et les efforts continus de ces extrémistes pour commettre des violences contre des civils ont mené certains de mes concitoyens à considérer l'islam comme inévitablement hostile non seulement aux États-Unis et aux pays occidentaux, mais aussi aux droits humains. Tout cela a engendré davantage de peur et davantage de méfiance.

Tant que notre relation sera définie par nos différences, nous renforcerons ceux qui sèment la haine plutôt que la paix, ceux qui encouragent le conflit plutôt que cette coopération qui peut aider tous nos peuples à atteindre la justice et la prospérité. Ce cycle de suspicion et de discorde doit cesser.

Je suis venu au Caire pour chercher un nouveau départ entre les États-Unis et les musulmans du monde entier, fondé sur l'intérêt mutuel et le respect réciproque, fondé sur la vérité que l'Amérique et l'islam ne sont pas exclusifs et n'ont nul besoin d'être en concurrence. Au contraire, ils se chevauchent et partagent des principes communs : la justice et le progrès, la tolérance et la dignité de tous les êtres humains.

Mais je reconnais que le changement ne peut pas se produire du jour au lendemain. Je sais que ce discours a beaucoup mobilisé l'attention, mais aucun discours ne peut éradiquer des années de méfiance, de même que je ne peux répondre dans le temps qui m'est imparti aujourd'hui à toutes les questions complexes qui nous ont amenés jusqu'ici. Mais je suis convaincu que pour aller de l'avant, nous devons nous dire ouvertement ce que renferment nos cœurs et que trop souvent nous n'exprimons qu'en privé. Nous devons constamment nous efforcer de nous écouter les uns les autres, d'apprendre les uns des autres, de nous respecter les uns les autres et de chercher un terrain d'entente. Comme le dit le Coran, « Ayez conscience de Dieu et dites toujours la vérité. » (*Applaudissements*.) C'est ce que je vais essayer de faire aujourd'hui : dire la vérité du mieux que je peux, empli d'humilité devant la tâche qui nous attend, et fermement convaincu que les intérêts que nous partageons en tant qu'êtres humains sont bien plus puissants que les forces qui nous séparent.

Cette conviction vient en partie de ma propre expérience. Je suis chrétien, mais mon père est issu d'une famille kényane qui compte plusieurs générations de musulmans. Enfant, j'ai passé plusieurs années en Indonésie où j'entendais l'appel à la prière à l'aube et à la tombée de la nuit. Jeune homme, j'ai travaillé à Chicago auprès de populations au sein desquelles beaucoup trouvaient la dignité et la paix dans leur foi musulmane.

Pour avoir étudié l'histoire, je sais aussi quelle est la dette de la civilisation envers l'islam. C'est l'islam, en des lieux comme Al Azhar, qui porta le flambeau de la connaissance pendant bien des siècles, ouvrant ainsi la voie à la Renaissance et aux Lumières en Europe. C'est l'innovation dans les communautés musulmanes (*Applaudissements*) — c'est l'innovation dans les communautés musulmanes qui produisit l'algèbre, notre boussole magnétique et nos outils de navigation, notre maîtrise des instruments d'écriture et de l'imprimerie, notre compréhension de la transmission des maladies et des moyens de les guérir. La culture islamique nous a donné des arcs majestueux et des flèches qui s'élancent vers le ciel, une poésie intemporelle et une musique précieuse, une calligraphie élégante et des lieux de contemplation paisible. Et à travers l'histoire, l'islam a démontré, en paroles et en actes, que la tolérance religieuse et l'égalité raciale sont possibles. (*Applaudissements*.)

Je sais aussi que l'islam a toujours fait partie de l'histoire de l'Amérique. Le Maroc fut la première nation à reconnaître mon pays. En signant le traité de Tripoli en 1796, notre deuxième président, John Adams, écrivait : « Les États-Unis n'ont en soi aucune disposition hostile contre les lois, la religion ou la tranquillité des musulmans. » Et depuis notre fondation, les musulmans américains ont enrichi les États-Unis. Ils ont combattu à nos côtés, occupé des fonctions dans nos institutions, défendu les droits civiques, créé des entreprises, enseigné dans nos universités, excellé dans nos stades, reçu des prix Nobel, construit notre plus haut édifice[1] et allumé la flamme olympique. Et quand le premier Américain de confession musulmane a été récemment élu au Congrès, il a prêté serment sur le coran que l'un de nos Pères

---

1. Œuvre de l'architecte banglado-américain Fazlur Rahman Khan, la Willis Tower de Chicago était le plus haut gratte-ciel des États-Unis jusqu'à ce qu'il soit dépassé en 2013 par le One World Trade Center de New York.

fondateurs, Thomas Jefferson, conservait dans sa bibliothèque personnelle. (*Applaudissements*.)

J'ai donc connu l'islam sur trois continents avant de venir dans la région où il fut révélé. Cette expérience guide ma conviction que le partenariat entre l'Amérique et l'islam doit se fonder sur ce qu'est l'islam et non sur ce qu'il n'est pas. Et je considère qu'il est de mon devoir de président des États-Unis de combattre les stéréotypes négatifs sur l'islam où qu'ils se manifestent.

Mais ce même principe doit s'appliquer à la façon dont les musulmans perçoivent l'Amérique. (*Applaudissements*.) Tout comme les musulmans ne correspondent pas à un stéréotype grossier, l'Amérique n'est pas non plus le stéréotype grossier d'un empire qui ne songe qu'à ses propres intérêts. Les États-Unis représentent l'une des plus grandes sources de progrès que le monde ait connues. Nous sommes nés d'une guerre d'indépendance contre un empire. Nous avons été fondés sur l'idéal que tous sont créés égaux[1], et nous avons versé notre sang et lutté pendant des siècles pour donner un sens à ces mots, à l'intérieur de nos frontières et à travers le monde. Nous sommes façonnés par toutes les cultures, issus des quatre coins de la Terre et dévoués à un concept simple : *E pluribus unum*, « De plusieurs, un seul ».

Or on a fait grand cas qu'un Afro-Américain ayant pour nom Barack Hussein Obama puisse être élu président. (*Applaudissements*.) Mais mon

---

1. Référence à la Déclaration d'indépendance des États-Unis.

histoire personnelle n'est pas unique en son genre. Le rêve de l'égalité des chances ne s'est pas concrétisé pour tous en Amérique, mais sa promesse existe pour tous ceux qui rejoignent nos rives — et cela comprend les près de sept millions d'Américains de confession musulmane qui vivent aujourd'hui dans notre pays et qui, soit dit en passant, jouissent d'un revenu et d'un niveau d'éducation supérieurs à la moyenne nationale. (*Applaudissements*.)

En outre, la liberté est, en Amérique, indissociable de la liberté de culte. C'est pourquoi l'on trouve une mosquée dans chaque État de notre union et que l'on en compte plus de mille deux cents sur l'ensemble de notre territoire. C'est pourquoi le gouvernement des États-Unis intente des actions en justice pour protéger le droit des femmes et des filles de porter le hidjab et pour punir ceux qui le leur refuseraient.

Cela ne fait donc aucun doute : l'islam fait bel et bien partie de l'Amérique. Et je suis convaincu que l'Amérique porte en elle cette vérité qu'indépendamment de notre race, de notre religion ou de notre condition sociale, nous partageons tous certaines aspirations : vivre en paix et en sécurité, recevoir une formation et travailler avec dignité, aimer notre famille, notre communauté et notre dieu. Nous avons tout cela en commun. C'est l'espoir de toute l'humanité.

Reconnaître notre humanité commune n'est, certes, que la première étape de notre tâche. Les mots seuls ne peuvent répondre aux besoins de nos peuples. Ces besoins ne pourront être satisfaits que si nous agissons avec audace dans les années à venir et si nous comprenons que les défis auxquels nous sommes confrontés sont partagés, et que notre incapacité à les relever nous nuira à tous.

Car nous en avons récemment fait l'expérience : lorsque le système financier d'un pays particulier est fragilisé, la prospérité est partout mise à mal. Quand une nouvelle grippe infecte un seul être humain, nous courons tous un risque. Quand une nation cherche à se doter de l'arme nucléaire, le risque d'une attaque de cette nature augmente pour toutes les nations. Lorsque des extrémistes violents opèrent dans une zone montagneuse particulière, les gens qui se trouvent de l'autre côté d'un océan sont en danger. Quand des innocents sont massacrés en Bosnie et au Darfour, notre conscience collective en est souillée. (*Applaudissements.*) Voilà ce que signifie partager le même monde au XXIᵉ siècle. Voilà la responsabilité que nous avons les uns envers les autres en tant qu'êtres humains.

C'est une responsabilité difficile à endosser. Car l'histoire de l'humanité a trop souvent donné l'exemple de nations et de tribus — et, oui, de religions — qui imposent leur domination pour servir leurs propres intérêts. Mais dans cette ère nouvelle, une telle attitude mène à l'autodestruction. Compte tenu de notre interdépendance, tout ordre mondial qui élève une nation ou un groupe d'individus au-dessus d'un autre est inévitablement voué à l'échec. Ainsi, quelle que soit notre vision du passé, nous ne devons pas en être prisonniers. Nous devons régler nos problèmes par le partenariat. Nous devons partager nos progrès. (*Applaudissements.*)

Cela ne signifie pas que nous devions ignorer les sources de tension. Au contraire, cela veut dire que nous devons affronter ces tensions avec détermination.

[...]

Nous avons la responsabilité de nous unir au nom du monde auquel nous aspirons : un monde où les extrémistes ne menacent plus notre peuple et où les soldats américains sont rentrés chez eux, un monde où Israéliens et Palestiniens vivent chacun en sécurité dans un État qui est le leur et où l'énergie nucléaire est utilisée à des fins pacifiques, un monde où les gouvernements sont au service de leurs citoyens et où les droits de tous les enfants de Dieu sont respectés. Ce sont là des intérêts mutuels. C'est là le monde auquel nous aspirons. Mais nous n'y parviendrons qu'ensemble.

Je sais que beaucoup, musulmans et non musulmans, se demandent si nous saurons prendre ce nouveau départ. Certains sont désireux d'attiser les flammes de la division et de faire obstacle au progrès. D'autres sont d'avis que cela n'en vaut pas la peine, qu'il y aura fatalement des désaccords et que les civilisations finissent toujours par s'affronter. Beaucoup d'autres encore doutent simplement que de vrais changements peuvent se produire. Tant de peur et de méfiance se sont accumulées au fil des ans. Mais si nous choisissons d'être enchaînés au passé, nous n'irons jamais de l'avant. Je tiens particulièrement à le dire aux jeunes de toutes les confessions, dans tous les pays : vous, plus que quiconque, avez la capacité de réinventer le monde, de refaçonner ce monde.

Nous tous partageons ce monde seulement un bref instant. La question est de savoir si nous passerons ce temps éphémère à nous concentrer sur ce qui nous sépare, ou si nous nous engagerons à déployer des efforts — des efforts soutenus — pour trouver un terrain d'entente, pour nous concentrer sur l'avenir que nous souhaitons pour nos enfants et pour respecter la dignité de tous les êtres humains.

Il est plus facile de commencer les guerres que de les finir. Il est plus facile de blâmer les autres que de faire son introspection. Il est plus facile de voir nos différences que nos points communs. Mais nous devrions choisir le bon chemin, pas simplement le plus facile. La même règle se trouve au cœur de toutes les religions : celle de traiter autrui comme nous souhaiterions être traités. (*Applaudissements.*) Cette vérité transcende les nations et les peuples. C'est une croyance qui n'est pas nouvelle, qui n'est ni noire ni blanche ni basanée, qui n'est ni chrétienne ni musulmane ni juive. C'est une croyance qui a animé le berceau de la civilisation et qui bat encore dans le cœur de milliards de personnes dans le monde. C'est une foi en l'autre, et c'est ce qui m'a amené ici aujourd'hui.

Nous avons le pouvoir de construire le monde auquel nous aspirons, mais seulement si nous avons le courage de prendre un nouveau départ, en gardant les textes à l'esprit.

Le Coran nous dit : « Ô Hommes ! Nous vous avons créés d'un mâle et d'une femelle, et nous vous avons constitués en nations et en tribus pour que vous vous connaissiez les uns les autres. »

Le Talmud nous dit : « Toute la Torah a pour objectif de promouvoir la paix. »

La Bible nous dit : « Heureux les artisans de paix, car ils seront appelés fils de Dieu. » (*Applaudissements*.)

Les habitants du monde peuvent cohabiter en paix. Nous savons que telle est la vision de Dieu. Et c'est maintenant la tâche que nous devons accomplir sur cette terre.

Je vous remercie et que la paix de Dieu soit avec vous. Merci beaucoup. Merci. (*Applaudissements*.)

Sur le système de santé

CONGRÈS DES ÉTATS-UNIS,
9 SEPTEMBRE 2009
(extraits)

Fidèle à l'une de ses promesses de campagne, Barack Obama s'attaque dès les premiers mois de sa présidence à la question de la santé. Son objectif est de réformer le système d'assurance maladie afin que le plus grand nombre de citoyens américains bénéficient d'une véritable couverture. Prononcé lors d'une session conjointe du Congrès, ce discours éclaire tant la philosophie de Barack Obama en matière d'économie politique que l'attitude traditionnelle des Américains vis-à-vis de toute réforme impliquant d'accorder un rôle accru au pouvoir fédéral. La réaction des élus au Congrès témoigne en effet de la réticence, voire de l'hostilité d'un certain nombre d'entre eux — notamment les membres du populiste Tea Party —, augurant d'un long chemin semé d'embûches. Alors qu'Obama espère susciter un vote bipartisan sur cette question, pas une seule voix républicaine ne sera enregistrée dans aucune des deux chambres du Congrès lorsque la réforme sera votée en mars 2010 — une réforme moins ambitieuse qu'espéré et menacée de détricotage dès l'arrivée au pouvoir de Donald Trump.

❖

Madame la présidente de la Chambre des représentants, Monsieur le vice-président Biden, Mesdames et Messieurs les membres du Congrès, citoyens américains :

Quand je me suis adressé à vous ici l'hiver dernier, la nation était confrontée à la pire crise économique depuis la Grande Dépression. Nous perdions en moyenne sept cent mille emplois par mois. Le crédit était gelé. Et notre système financier était sur le point de s'effondrer.

Comme le dira tout Américain qui cherche encore du travail ou un moyen de payer ses factures, nous ne sommes nullement tirés d'affaire. Une reprise complète et vigoureuse n'interviendra pas avant plusieurs mois. Mais je persévérerai jusqu'à ce que les Américains qui cherchent du travail puissent en trouver (*Tonnerre d'applaudissements, l'ensemble du Congrès se lève*), jusqu'à ce que les entreprises qui cherchent du capital et du crédit puissent prospérer, jusqu'à ce que tous les propriétaires dignes de confiance puissent rester chez eux. C'est notre but ultime. Mais grâce aux mesures audacieuses et décisives que nous avons prises depuis janvier, je peux affirmer avec confiance que nous avons sauvé cette économie de la faillite. (*Applaudissements nourris, les élus démocrates se lèvent.*)

Je tiens à remercier les membres de cette assemblée pour leurs efforts et leur soutien au cours de ces derniers mois, et particulièrement ceux qui ont voté les mesures délicates qui nous ont mis sur la voie du redressement. Je tiens également à remercier le peuple américain pour sa patience et sa détermination durant cette période éprouvante pour notre nation.

Mais nous ne sommes pas venus ici uniquement pour régler les crises. Nous sommes venus ici pour construire un avenir. (*Applaudissements.*) Ce soir, je reviens donc pour m'adresser à tous sur une question qui est au cœur de cet avenir : celle de notre système de santé.

Je ne suis pas le premier président à embrasser cette cause, mais je suis déterminé à être le dernier. (*Tonnerre d'applaudissements, les élus démocrates se lèvent.*) Près d'un siècle s'est écoulé depuis que Theodore Roosevelt appela le premier à la réforme de notre système de santé. À sa suite, presque tous les présidents et presque toutes les assemblées du Congrès, qu'ils soient démocrates ou républicains, ont tenté de relever ce défi d'une manière ou d'une autre. Un projet de loi visant à une réforme complète du système de santé fut présenté pour la première fois en 1943 par John Dingell Sr. Soixante-cinq ans plus tard, son fils continue de présenter le même projet de loi au début de chaque session[1]. (*Applaudissements nourris, les élus se lèvent, principalement dans le camp démocrate.*)

Notre incapacité collective à relever ce défi, année après année, décennie après décennie, nous a conduits au point de rupture. Tout le monde

---

1. John Dingell Jr., élu démocrate du Michigan à la Chambre des représentants de 1955 à 2015.

comprend les difficultés inouïes endurées par les non-assurés, qu'un accident ou une maladie suffit à faire basculer dans la faillite. Ce ne sont pas au premier chef des gens qui reçoivent l'aide sociale. Ce sont des Américains de la classe moyenne. Certains ne peuvent pas obtenir d'assurance maladie au travail. D'autres sont indépendants et n'en ont pas les moyens, car souscrire à une assurance vous coûte trois fois plus cher que la couverture offerte par un employeur. Beaucoup d'autres Américains, qui sont prêts à payer et en ont les moyens, se voient encore refuser une police en raison de maladies ou d'antécédents que les compagnies d'assurances jugent trop risqué ou trop coûteux de couvrir.

Nous sommes la *seule* démocratie, la *seule* démocratie avancée sur Terre, la *seule* nation riche à tolérer pareille épreuve pour des millions de ses habitants. Il y a maintenant plus de trente millions de citoyens américains qui ne peuvent pas être couverts. En seulement deux ans, un Américain sur trois s'est retrouvé à un moment donné sans couverture médicale. Et chaque jour, quatorze mille Américains perdent leur assurance. En d'autres termes, cela peut arriver à n'importe qui.

Mais le problème qui ronge le système de santé n'est pas seulement un problème pour les non-assurés. Ceux qui possèdent une assurance n'ont jamais eu aussi peu de sécurité et de stabilité qu'aujourd'hui. De plus en plus d'Américains craignent de perdre leur assurance maladie si jamais ils déménagent, perdent leur emploi ou changent de travail. De plus en plus d'Américains paient leurs primes, mais découvrent ensuite que leur assureur a résilié leur contrat quand ils sont tombés malades ou qu'il ne paiera pas l'intégralité des soins. Cela arrive tous les jours.

Un habitant de l'Illinois a perdu sa couverture en pleine chimiothérapie parce que sa compagnie d'assurances a constaté qu'il n'avait pas signalé des calculs biliaires dont il ignorait lui-même l'existence. Ils ont retardé son traitement, et il en est mort. Une habitante du Texas était sur le point de subir une double mastectomie lorsque sa compagnie d'assurances a annulé sa police parce qu'elle avait oublié de déclarer un problème d'acné. Au moment où son assurance a été rétablie, son cancer du sein avait plus que doublé. Ces histoires sont déchirantes, elles sont injustes, et personne ne devrait être traité de la sorte aux États-Unis d'Amérique. (*Tonnerre d'applaudissements, l'ensemble du Congrès se lève.*)

Ensuite, il y a le problème de la hausse des coûts. Nous dépensons une fois et demie de plus par personne pour les soins que tout autre pays, mais nous ne sommes pas en meilleure santé pour autant. C'est l'une des raisons pour lesquelles les primes d'assurance ont augmenté trois fois plus vite que les salaires. C'est pourquoi tant de patrons, en particulier dans les petites entreprises, obligent leurs employés à cotiser davantage ou abandonnent complètement leur couverture. C'est pourquoi tant d'entrepreneurs potentiels ne peuvent même pas se permettre de se lancer. C'est

pourquoi les entreprises américaines en compé-
tition sur la scène internationale — comme nos
constructeurs automobiles — sont fortement han-
dicapées. Et c'est pourquoi ceux d'entre nous qui
ont une assurance maladie paient également une
taxe déguisée en constante augmentation pour
ceux qui en sont privés — environ mille dollars
par an payés pour autrui, pour couvrir les soins
de premier secours et ceux fournis par les centres
caritatifs.

Enfin, notre système de santé impose un fardeau insoutenable aux contribuables. Lorsque
le coût des soins augmente à un tel rythme, la
pression devient plus forte sur des programmes
comme Medicare et Medicaid. Si nous ne faisons
rien pour freiner cette flambée, nous finirons par
dépenser plus pour Medicare et Medicaid que
pour tous les autres programmes gouvernemen-
taux réunis. Pour dire les choses simplement, c'est
le problème de notre système de santé qui est à
l'origine de notre déficit public. Rien d'autre ne
s'en rapproche. (*Applaudissements.*) Rien d'autre.
(*Les applaudissements se poursuivent*.)

Ce sont là les faits. Personne ne les conteste.
Nous *savons* que nous devons réformer ce système. La question est de savoir comment.

Il y a ceux à gauche qui croient que la seule
façon de remédier à la situation est de recourir
à un système universel comme celui du Canada
(*Quelques applaudissements*), où l'on restreindrait
strictement le marché privé de l'assurance pour
faire en sorte que l'État couvre tout le monde. À

droite, il y a ceux qui affirment que l'on devrait mettre fin aux financements par les employeurs et laisser les individus contracter eux-mêmes une assurance maladie.

Je dois dire qu'il y a des arguments pour défendre chacune de ces deux approches. Mais l'une ou l'autre représenterait un changement radical qui bouleverserait la couverture santé dont bénéficient la plupart des gens actuellement. Étant donné que la santé représente un sixième de notre économie, je crois qu'il est plus logique de tirer parti de ce qui fonctionne et de remédier à ce qui ne marche pas (*Applaudissements*), plutôt que d'essayer de construire un système entièrement nouveau en partant de zéro. (*Tonnerre d'applaudissements, l'ensemble du Congrès se lève, on entend des cris d'approbation.*) Et c'est précisément ce que certains d'entre vous au Congrès ont tâché d'entreprendre au cours des derniers mois.

Pendant cette période, nous avons vu le pire et le meilleur de Washington.

Nous avons vu beaucoup de membres du Congrès travailler sans relâche pendant la majeure partie de l'année pour concevoir les moyens d'accomplir cette réforme. Quatre des cinq commissions chargées d'élaborer des projets de loi ont terminé leur travail, et la commission des Finances du Sénat a annoncé aujourd'hui qu'elle passera à l'étape suivante la semaine prochaine. Cela ne s'est jamais produit auparavant. Nos efforts ont été soutenus dans l'ensemble par une coalition sans précédent de médecins et d'infirmières, par les hôpitaux, les associations de personnes âgées, et même les laboratoires pharmaceutiques, alors que beaucoup s'étaient opposés aux réformes par le passé. Et cette assemblée s'accorde sur environ 80 % de ce qui doit être fait, si bien que nous sommes plus proches que jamais de l'objectif de la réforme.

Mais ce que nous avons également vu ces derniers mois, c'est le même spectacle des luttes partisanes qui ne fait que renforcer le mépris que beaucoup d'Américains éprouvent envers leur propre gouvernement. Au lieu d'un débat honnête, nous avons vu des tactiques alarmistes. Certains se sont retranchés dans des camps idéologiques inflexibles qui n'offrent aucun espoir de compromis. Un trop grand nombre d'entre eux en ont profité pour marquer des points politiques à court terme, même s'ils privent le pays d'une chance de résoudre un défi à long terme. Et dans cette avalanche d'attaques et de contre-attaques, la confusion a régné.

Eh bien, le temps des chamailleries est révolu. (*Applaudissements*.) La récréation est terminée. (*Les applaudissements continuent, l'ensemble du Congrès se lève, et Obama poursuit son discours en martelant les mots avec toujours plus de force.*) Le moment est venu de passer à l'action. Le moment est venu de rassembler les meilleures idées des deux partis et de montrer aux Américains que nous pouvons encore réaliser ce pour quoi nous avons été élus. Le moment est venu de tenir parole sur la réforme du système de santé.

(*Les élus finissent par se rasseoir, Obama répète sobrement sa dernière phrase.*) Le moment est venu de tenir parole sur la réforme du système de santé. [...]

L'hommage aux victimes
de la tuerie de Newtown

NEWTOWN, CONNECTICUT,
16 DÉCEMBRE 2012
(discours intégral)

Le 14 décembre 2012, un jeune homme de vingt ans fait irruption dans l'école primaire Sandy Hook, à Newtown, dans le Connecticut, où il tue vingt enfants et six adultes dans une fusillade avant de se suicider. Lors d'une brève allocution « à chaud », Obama, la gorge serrée, déclare en essuyant discrètement quelques larmes : « Nous avons le cœur brisé. » Deux jours plus tard, il se rend à Newtown pour y rencontrer les familles endeuillées et participer à la veille œcuménique organisée en hommage aux victimes.

Reproduit ici dans son intégralité, ce discours, prononcé dans une atmosphère douloureuse et un silence de plomb, est représentatif de ceux qu'Obama — comme il le rappelle lui-même ici — a trop souvent l'occasion d'adresser à la suite de fusillades de masse au cours de ses deux mandats, comme après la tuerie de Tucson en 2011, celle de Charleston en Caroline du Sud en 2015, ou encore celle de Dallas en 2016, pour n'en citer que quelques-unes. C'est toutefois après la fusillade de Newtown qu'Obama annonce son intention de faire pression sur le Congrès pour imposer un plus grand contrôle des armes. Il poursuivra cet objectif jusqu'à la fin de sa présidence sans toutefois obtenir de changements substantiels.

À toutes les familles, aux premiers intervenants, à la communauté de Newtown, au clergé, aux invités — les Saintes Écritures nous disent :

> ... Ne perdons pas courage. Et même si chez nous l'homme extérieur dépérit, l'homme intérieur se renouvelle de jour en jour. Car un moment de détresse insignifiant produit pour nous, au-delà de toute mesure, un poids éternel de gloire. Aussi nous regardons, non pas à ce qui se voit, mais à ce qui ne se voit pas ; car ce qui se voit est éphémère, mais ce qui ne se voit pas est éternel. Nous savons, en effet, que si notre demeure terrestre, qui n'est qu'une tente, est détruite, nous avons dans les cieux une construction qui est l'ouvrage de Dieu, une demeure éternelle qui n'a pas été fabriquée par des mains humaines[1].

Nous sommes réunis ici en mémoire de vingt merveilleux enfants et de six adultes exceptionnels. Ils ont perdu la vie dans une école qui aurait pu être n'importe quelle autre école du pays, dans une petite ville tranquille pleine d'honnêtes gens qui aurait pu être n'importe quelle autre ville en Amérique.

Ici à Newtown, je viens offrir l'amour et les prières d'une nation. J'ai pleinement conscience que de simples mots ne peuvent exprimer toute la profondeur de votre chagrin, pas plus qu'ils ne

---

1. Citation du Nouveau Testament, Deuxième épître aux Corinthiens, 4:16-5:1 (*Nouvelle Bible Segond*, 2002).

peuvent panser vos cœurs blessés. J'espère seulement que cela vous aide de savoir que vous n'êtes
pas seuls dans votre peine, que notre monde aussi
a été dévasté, que partout dans ce pays qui est le
nôtre, nous avons tous pleuré avec vous et serré
nos enfants contre nos cœurs. Sachez que si nous
pouvons vous apporter le moindre réconfort, nous
le ferons, si nous pouvons assumer une part de
votre tristesse pour alléger votre lourd fardeau,
nous nous en chargerons volontiers. Habitants de
Newtown, vous n'êtes pas seuls. (*Pause.*)

Au fil de ces jours difficiles, ce que vous avez dit
sur votre force, votre détermination et votre sacri-
fice ont été pour nous une source d'inspiration.
Nous savons que lorsque le danger a surgi dans
les couloirs de l'école primaire Sandy Hook, le
personnel de l'école n'a pas reculé, n'a pas hésité.
Dawn Hochsprung et Mary Sherlach, Vicki Soto,
Lauren Rousseau, Rachel Davino et Anne Marie
Murphy ont réagi comme nous espérons tous être
capables de le faire dans des circonstances aussi
terrifiantes : avec courage et avec amour, en don-
nant leur vie pour protéger les enfants dont elles
avaient la charge.

Nous savons que d'autres enseignants se sont
barricadés dans les salles de classe, qu'ils ont tenu
bon pendant toute cette épreuve, et qu'ils ont ras-
suré leurs élèves en leur disant : « Attendez les
gentils, ils sont en route », « Fais-moi un sourire ».

Et nous savons que les gentils sont arrivés. Ces
premiers intervenants qui se sont précipités sur
les lieux pour apporter leur secours, mettant les

uns à l'abri du danger, réconfortant les autres, tout en dominant leur propre choc et leur propre traumatisme parce qu'ils devaient faire leur travail et que d'autres avaient besoin d'eux.

Et puis il y a eu le tableau des écoliers qui s'entraidaient, se blottissaient les uns contre les autres, suivaient scrupuleusement les instructions comme le font parfois les jeunes enfants. (*La salle rit doucement.*) L'un d'eux essaya même d'encourager une grande personne en disant : « Je fais du karaté. Alors ça va aller. Je vais ouvrir la voie pour sortir. » (*La salle rit à nouveau doucement, tandis qu'Obama sourit et attend quelques instants avant de poursuivre.*)

En tant que communauté, Newtown, vous nous avez inspirés. Face à la violence indescriptible, face au mal intolérable, vous vous êtes montrés solidaires, vous avez pris soin les uns des autres, et vous vous êtes aimés les uns les autres. C'est cette image de Newtown que l'Histoire retiendra. Avec le temps et la grâce de Dieu, cet amour vous aidera à surmonter cette épreuve.

Mais demeurent pour *nous*, en tant que nation, des questions difficiles. Quelqu'un a dit un jour que la joie et l'angoisse d'être parent équivalent à avoir en permanence le cœur en train de se promener à l'extérieur du corps. En poussant son tout premier cri, cette partie de nous si vitale et précieuse — notre enfant — est soudain exposée au monde, à de possibles mésaventures ou à la malveillance. Et nous tous, parents, savons que nous ferons l'impossible pour protéger nos enfants du danger. Pourtant, nous savons également qu'en faisant leur tout premier pas, et à chaque pas suivant, nos enfants se détachent de nous, que nous ne serons pas... que nous *ne pourrons pas* être toujours là pour eux. Ils subiront maladies et échecs, peines de cœur et déceptions. Et nous découvrons que notre tâche la plus importante est de leur donner ce dont ils ont besoin pour devenir autonomes, compétents et endurants, prêts à affronter le monde sans crainte.

Et nous savons que nous ne pouvons accomplir cette tâche seuls. Nous restons stupéfaits lorsque nous finissons par comprendre qu'en dépit de tout notre amour pour ces enfants, nous ne pouvons pas y arriver seuls. Que protéger nos enfants et bien les éduquer est une tâche que nous ne pouvons réaliser qu'ensemble, avec l'aide des amis et des voisins, l'aide d'une communauté et l'aide d'une nation. Ainsi, nous prenons conscience que nous avons une responsabilité envers chaque enfant, car nous comptons sur tout le monde pour contribuer à veiller sur les nôtres, nous prenons conscience que nous sommes tous parents, qu'ils sont tous nos enfants.

C'est là notre premier devoir : prendre soin de nos enfants. C'est notre première mission. Si nous échouons à la remplir, nous ne pouvons rien réussir d'autre. C'est sur cela que, en tant que société, nous serons jugés.

Selon ce critère, pouvons-nous réellement affirmer que, en tant que nation, nous respectons nos obligations ? Pouvons-nous déclarer en toute honnêteté que nous en faisons suffisamment pour que nos enfants — tous nos enfants — soient à l'abri du danger ? Pouvons-nous prétendre que, en tant que nation, nous sommes tous solidaires sur ce point, que nous leur exprimons notre amour et que nous leur apprenons à aimer en retour ? Pouvons-nous dire que nous en faisons réellement assez pour donner à *tous* les enfants de ce pays la chance qu'ils méritent de vivre heureux et d'avoir une raison d'être ? (*Obama essuie discrètement une larme.*)

J'y ai réfléchi ces derniers jours, et si nous sommes honnêtes envers nous-mêmes, la réponse est non. Nous n'en faisons pas assez. Et nous devrons changer.

Depuis que j'ai été élu président, c'est la quatrième fois que nous sommes réunis pour réconforter une communauté dévastée et endeuillée par une tuerie de masse. La quatrième fois que nous serrons dans nos bras les survivants. La quatrième fois que nous consolons les familles des victimes. Dans l'intervalle, il y a eu une série interminable de fusillades meurtrières dans tout le pays, l'annonce presque quotidienne de nouvelles victimes, dont de nombreux enfants, dans de petites villes et de grandes métropoles partout en Amérique — des victimes dont, maintes fois, la seule faute était de se trouver au mauvais endroit au mauvais moment.

Nous ne pouvons pas tolérer cela plus longtemps. Ces tragédies doivent cesser. Et pour qu'elles cessent, nous devons changer. L'on nous dira que les causes d'une pareille violence sont complexes, et c'est vrai. Aucune loi, aucun ensemble de lois ne peut éradiquer le mal de ce monde, ni empêcher tous les actes de violence absurde qui frappent notre société.

Mais cela ne doit pas servir de prétexte à l'inaction. À n'en pas douter, nous pouvons faire mieux. S'il y a ne serait-ce qu'une mesure à prendre pour épargner à un autre enfant, à un autre parent ou à une autre ville la souffrance qui s'est abattue sur Tucson, Aurora, Oak Creek et Newtown, et sur d'autres communautés avant cela, de Columbine à Blacksburg, alors, assurément, nous sommes tenus d'essayer.

Dans les semaines à venir, j'utiliserai tout le pouvoir que me donne la fonction présidentielle pour amener mes concitoyens — représentants de la loi, professionnels de la santé mentale, parents et enseignants — à œuvrer pour prévenir d'autres tragédies comme celle-ci. Car avons-nous le choix ? Nous ne pouvons considérer de tels événements comme banals. Sommes-nous réellement prêts à dire que nous sommes impuissants face à un tel carnage, que c'est trop difficile politiquement ? Sommes-nous prêts à dire qu'une telle violence infligée à nos enfants encore et encore, année après année, est en quelque sorte le prix de notre liberté ? (*Pause.*)

Toutes les religions du monde, dont beaucoup sont représentées aujourd'hui, commencent par une simple question : pourquoi sommes-nous là ? Qu'est-ce qui donne du sens à notre vie ? Qu'est-ce qui donne un but à nos actes ? Nous savons que notre temps sur cette terre est fugace. Nous savons que nous aurons tous notre part de plaisir et de douleur, que même après avoir poursuivi un objectif terrestre, qu'il s'agisse de la fortune, du pouvoir, de la célébrité ou du simple confort, nous ne réussirons pas à réaliser tout ce que nous avions espéré accomplir. Nous savons que même si nos intentions sont bonnes, nous trébucherons tous quelquefois, d'une façon ou d'une autre. Nous commettrons des erreurs, nous traverserons des épreuves. Et nous savons que même lorsque nous tâchons de bien faire, nous passons souvent du temps à avancer à tâtons dans l'obscurité, si souvent incapables de percevoir les célestes desseins de Dieu.

La seule chose dont nous pouvons être sûrs, c'est l'amour que nous portons à nos enfants, à nos familles, aux uns et aux autres. La tendresse d'un petit enfant qui vous étreint, c'est du *vrai*. Les souvenirs que nous avons d'eux, la joie qu'ils nous procurent, l'émerveillement que l'on perçoit dans leurs yeux, cet amour intense et sans limites que l'on éprouve à leur égard, un amour qui nous fait sortir de nous-mêmes et nous lie à quelque chose de plus grand — nous savons que c'est *cela* qui importe. Nous savons que nous nous comportons de façon juste lorsque nous prenons soin d'eux, lorsque nous les éduquons correctement, lorsque nous faisons preuve de gentillesse. Nous ne faisons pas erreur lorsque nous agissons ainsi.

C'est de cela que nous pouvons être certains.

Et c'est ce que vous, habitants de Newtown, nous avez rappelé. C'est comme cela que vous nous avez inspirés. Vous nous rappelez ce qui importe. Et c'est ce qui devrait nous faire avancer dans tous nos actes, tant que Dieu jugera bon de nous garder sur cette terre. (*Pause.*)

« Laissez faire les enfants, ne les empêchez pas de venir à moi, dit Jésus, car le royaume des cieux est pour ceux qui sont comme eux[1]. »

Charlotte. Daniel. Olivia. Josephine. Ana. Dylan. Madeleine. Catherine. Chase. Jesse. James. Grace. Emilie. Jack. Noah. Caroline. Jessica. Benjamin. Avielle. Allison.

Dieu les a tous rappelés à Lui. Pour ceux parmi nous qui restent, cherchons la force de continuer et de rendre notre pays digne de leur mémoire.

Que Dieu bénisse et garde en Son royaume céleste ceux que nous avons perdus. Qu'Il honore de Son réconfort ceux qui demeurent parmi nous. Et qu'Il bénisse et protège cette communauté et les États-Unis d'Amérique. (*Un lourd silence s'ensuit avant que le public ne finisse par applaudir.*)

---

1. Citation du Nouveau Testament, Matthieu, 19:14 (*Nouvelle Bible Segond*, 2002).

À la jeunesse européenne

BRUXELLES,
SIÈGE DE L'UNION EUROPÉENNE,
26 MARS 2014
(extraits)

En visite à Bruxelles, Barack Obama décide de s'adresser longuement et plus particulièrement à la jeunesse européenne. Le contexte de la crise de Crimée ouverte un mois plus tôt lui offre en effet l'occasion de rappeler les leçons de l'Histoire et les combats qui durent être livrés par le passé — et qu'il faudra peut-être mener à l'avenir — pour préserver les valeurs fondatrices de l'Europe et de l'Amérique.

Précédé d'un discours liminaire assuré par une jeune Écossaise nommée Laura Hemmati, alors âgée de vingt-six ans et cofondatrice de Leadarise, un réseau dédié aux jeunes femmes créé en 2013, ce discours d'Obama est représentatif à la fois de sa vision de l'ordre international qui doit œuvrer pour la paix et savoir résister à toutes les formes de tyrannie, de l'importance qu'il accorde aux enseignements de l'Histoire, et de l'attention particulière qu'il porte à la jeunesse en général.

(Obama est accueilli sous les applaudissements.)
Merci beaucoup. Je vous remercie. Je vous en prie, asseyez-vous. *Good evening. Goede avond. Bonsoir.*

Guten Abend. (*Applaudissements.*) Merci, Laura, pour cette remarquable introduction. Avant de sortir, elle m'a dit de ne pas être nerveux. (*Rires.*) Et je ne peux qu'imaginer — je crois que son père est dans la salle, et je ne peux qu'imaginer combien il est fier d'elle. Nous lui sommes reconnaissants du travail qu'elle a accompli, et elle nous rappelle aussi que notre avenir sera défini par des jeunes comme elle.

Vos Majestés, Monsieur le Premier ministre, peuple belge : au nom du peuple américain, nous vous sommes reconnaissants de votre amitié. Nous sommes des alliés inséparables, et je vous remercie pour votre merveilleuse hospitalité. Je dois admettre qu'il est facile d'aimer un pays célèbre pour le chocolat et la bière. (*Rires.*)

Dirigeants et dignitaires de l'Union européenne, représentants de l'alliance de l'OTAN, hôtes de marque : nous sommes réunis ici à un moment où l'Europe et les États-Unis, ainsi que l'ordre international que nous avons œuvré à construire pendant plusieurs générations, sont mis à l'épreuve.

Tout au long de l'histoire de l'humanité, les sociétés se sont trouvées aux prises avec des questions fondamentales sur la façon de s'organiser, sur la relation juste entre l'individu et l'État, sur les meilleurs moyens de résoudre les conflits inévitables entre les États. Et c'est ici en Europe, pendant des siècles de luttes, marqués par la guerre et par les Lumières, par la répression et par les révolutions, qu'un ensemble d'idéaux particuliers commença à émerger : la croyance que par la conscience et le libre arbitre, chacun a le droit de vivre comme il l'entend. La croyance que le pouvoir procède du consentement des gouvernés, et que les lois et les institutions devraient être établies pour protéger ce contrat. Ces idées ont fini par inspirer un groupe de colons par-delà un océan, et ils les ont inscrites dans les documents fondateurs qui guident encore aujourd'hui l'Amérique, y compris la vérité pure et simple que tous les hommes — et les femmes — sont créés égaux[1].

Mais ces idéaux ont également été éprouvés, ici en Europe et dans le monde entier. Ils ont souvent été menacés par une vision plus ancienne et plus traditionnelle du pouvoir, qui considère que les hommes et les femmes ordinaires ont l'esprit trop étroit pour conduire leurs propres affaires, que l'ordre et le progrès ne peuvent advenir que lorsque les individus abdiquent leurs droits en faveur d'un souverain tout-puissant. Bien souvent, cette autre vision s'ancre dans l'idée qu'en vertu de la race, de la foi ou de l'appartenance ethnique, certains sont intrinsèquement supérieurs aux autres, que chaque individu doit se définir par l'opposition entre « nous » et « eux », ou que la grandeur nationale doit découler non pas de ce que défend un peuple, mais de ce à quoi il s'oppose.

À bien des égards, l'histoire de l'Europe au XXᵉ siècle a illustré le choc permanent de ces deux

---

1. Référence à la Déclaration d'indépendance et à la Constitution des États-Unis.

ensembles d'idées, à la fois au sein des nations et entre les nations. Les progrès de l'industrie et de la technologie furent plus rapides que notre capacité à résoudre pacifiquement nos différends, et même parmi les sociétés les plus civilisées, on observa en surface une descente dans la barbarie.

Une visite à Flanders Field[1] ce matin m'a rappelé comment la guerre entre les peuples a envoyé une génération à la mort dans les tranchées et les gaz de la Première Guerre mondiale. Seulement deux décennies plus tard, le nationalisme exacerbé plongeait de nouveau ce continent dans la guerre — avec des populations asservies, de grandes et belles villes réduites en ruines, et des dizaines de millions de gens massacrés, dont ceux qui périrent dans l'Holocauste.

C'est en réponse à cette histoire tragique qu'à la suite de la Seconde Guerre mondiale l'Amérique s'unissait à l'Europe pour rejeter les forces sombres du passé et bâtir une nouvelle architecture de paix. Les ouvriers et les ingénieurs donnèrent vie au plan Marshall. Les sentinelles restèrent vigilantes dans cette alliance de l'OTAN qui devait devenir la plus forte au monde. Et de l'autre côté de l'Atlantique, nous avons adopté une vision commune de l'Europe, une vision fondée sur la démocratie représentative, sur les droits de l'individu, sur la conviction que les nations peuvent servir les intérêts de leurs citoyens grâce aux échanges commerciaux et à l'ouverture des

1. Cimetière américain de Flandre.

marchés, sur un système de protection sociale et sur le respect de ceux qui ont des croyances et des origines différentes.

Pendant des décennies, cette vision contrasta fortement avec la vie de l'autre côté d'un rideau de fer. Pendant des décennies, une bataille fut menée, puis elle finit par être remportée, non pas par des chars ou des missiles, mais parce que nos idéaux touchèrent le cœur des Hongrois qui déclenchèrent une révolution, des Polonais sur leurs chantiers navals qui démontrèrent leur Solidarité, des Tchèques qui lancèrent une révolution de Velours sans tirer un seul coup de feu, et des Berlinois de l'Est qui défilèrent devant les gardes et finirent par détruire ce mur.

Ce qui aurait semblé impossible dans les tranchées flamandes, les décombres de Berlin ou la cellule de prison d'un dissident, est devenu une réalité allant de soi. Une Allemagne unifiée. Les pays d'Europe centrale et orientale accueillis dans la famille des démocraties. Ici, dans ce pays, qui fut autrefois le champ de bataille de l'Europe, nous sommes réunis au cœur d'une Union où des adversaires ancestraux se rassemblent dans la paix et la coopération. Les Européens, des centaines de millions de citoyens — à l'est, à l'ouest, au nord, au sud — sont plus en sécurité et plus prospères parce que nous sommes restés unis pour défendre les idéaux que nous partageons.

Cette histoire du progrès de l'humanité ne s'est nullement limitée à l'Europe. En effet, les idéaux qui en vinrent à définir notre alliance inspirèrent également des mouvements aux quatre coins du monde, parmi ceux-là mêmes qui, ironiquement, avaient trop souvent été privés de leurs pleins droits par les puissances occidentales. Après la Seconde Guerre mondiale, les peuples de l'Afrique à l'Inde se débarrassaient du joug du colonialisme pour obtenir leur indépendance. Aux États-Unis, les citoyens organisaient des Freedom Rides[1] et enduraient des passages à tabac pour mettre fin à la ségrégation et garantir le respect de leurs droits civiques. Alors que le rideau de fer tombait ici en Europe, la main de fer de l'apartheid se desserrait et Nelson Mandela sortait de prison la tête haute, fier, pour prendre les rênes d'une démocratie multi-raciale. Les nations latino-américaines rejetaient la dictature pour construire de nouvelles démocraties, et les nations asiatiques démontraient que le développement et la démocratie pouvaient aller de pair.

Les jeunes gens présents dans l'auditoire aujourd'hui, des jeunes comme Laura, sont nés en un temps et en un lieu où il y a moins de conflits, plus de prospérité et plus de liberté que jamais dans l'histoire de l'humanité. Mais cela ne s'explique pas par le fait que les pulsions humaines les plus sinistres auraient disparu. Même ici, en Europe, nous avons vu dans les Balkans un nettoyage ethnique qui a choqué les consciences.

---

1. Référence aux militants pour les droits civiques qui, à partir de 1961, empruntèrent des cars inter-États dans le sud du pays pour contester la non-application de l'arrêt de la Cour suprême qui avait déclaré inconstitutionnelle la ségrégation dans les transports.

Les difficultés de l'intégration et de la mondialisation, récemment amplifiées par la pire crise économique de notre temps, ont mis à rude épreuve le projet européen et provoqué l'essor d'une politique qui prend trop souvent pour cibles les immigrés, les homosexuels ou ceux qui semblent différents d'une manière ou d'une autre.

Si la technologie a largement ouvert le champ des possibilités pour le commerce, l'innovation et la compréhension interculturelle, elle a par ailleurs permis aux terroristes de commettre des massacres effroyables. Partout dans le monde, les affrontements entre groupes sectaires et les conflits ethniques continuent de faire des milliers de victimes. Et une fois de plus, nous sommes confrontés à la croyance chez certains que les plus grandes nations peuvent intimider les plus petites pour obtenir ce qu'elles veulent — cette maxime recyclée de la loi du plus fort.

Je viens donc ici aujourd'hui pour insister sur le fait que nous ne devons jamais tenir pour acquis les progrès qui ont été remportés ici en Europe et promus dans le monde entier, car la bataille des idées se poursuit pour votre génération. Et c'est ce qui est en jeu en Ukraine aujourd'hui. Les dirigeants russes remettent en cause des vérités qui semblaient évidentes il y a seulement quelques semaines : soit qu'au XXIᵉ siècle les frontières de l'Europe ne peuvent être redessinées par la force, que le droit international importe, que les peuples et les nations peuvent décider eux-mêmes de leur avenir.

[...]

Pour les jeunes ici aujourd'hui, je sais qu'il peut sembler facile de considérer ces événements comme séparés de nos vies, éloignés de nos routines quotidiennes, loin de nos préoccupations directes. Je reconnais que, tant aux États-Unis que dans une grande partie de l'Europe, il y a suffisamment de quoi s'inquiéter dans les affaires de nos propres pays. Il y aura toujours des voix pour dire que les événements qui se produisent hors de nos frontières ne sont pas notre problème, ni de notre responsabilité. Mais nous ne devons jamais oublier que nous sommes les héritiers d'une lutte pour conquérir la liberté. Notre démocratie et les possibilités qui s'offrent à nous en tant qu'individus existent seulement parce que nos prédécesseurs ont eu la sagesse et le courage de reconnaître que nos idéaux ne perdureront que si nous considérons qu'il est de notre propre intérêt que les autres peuples et les autres nations réussissent. (*Longue pause.*)

Ce n'est pas le moment de fanfaronner. La situation en Ukraine, à l'instar des crises dans de nombreuses parties du monde, n'a pas de réponses faciles ni de solution militaire. Mais à l'heure qu'il est, nous devons affronter la remise en cause de nos idéaux, et même de l'ordre international que nous avons institué, avec force et conviction.

Et c'est vous, les jeunes d'Europe, des jeunes comme Laura, qui aiderez à déterminer la direction que prendra le cours de notre histoire. (*Pause.*) Ne croyez pas un seul instant que votre

liberté, votre prospérité, votre imagination morale
soient cantonnées aux limites de votre communauté, de votre ethnie ou même de votre pays.
Vous transcendez tout cela. Vous pouvez nous
aider à choisir un meilleur destin. C'est ce que
nous enseigne l'histoire de l'Europe. C'est ce qui
est également au cœur de l'expérience américaine.

Je le dis en tant que président d'un pays qui
s'est tourné vers l'Europe pour y puiser les valeurs
inscrites dans ses documents fondateurs et qui a
versé son sang afin que ces valeurs puissent per-
durer sur ces rives. Je le dis également en tant que
fils d'un Kenyan dont le grand-père était cuisinier
au service des Britanniques et en tant que personne qui a vécu en Indonésie au moment où le
pays sortait du colonialisme. Les idéaux qui nous
unissent comptent tout autant pour les jeunes de
Boston ou de Bruxelles, de Jakarta ou de Nairobi,
de Cracovie ou de Kiev.

En fin de compte, le succès de nos idéaux
dépend de nous — y compris l'exemple de nos
propres vies, de nos propres sociétés. Nous savons
qu'il y aura toujours de l'intolérance. Mais au lieu
de craindre l'immigrant, nous pouvons l'accueil-
lir. Nous pouvons insister pour que les politiques
publiques profitent au plus grand nombre et pas
seulement à une minorité, pour que l'ère de la
mondialisation et des changements vertigineux
donne des chances à ceux qui sont marginalisés
et pas seulement à quelques privilégiés. Au lieu de
prendre pour cibles nos frères homosexuels et nos
sœurs lesbiennes, nous pouvons utiliser nos lois

pour protéger leurs droits. Au lieu de nous définir en opposition aux autres, nous pouvons affirmer les aspirations que nous partageons. C'est ce qui fera la force de l'Amérique. C'est ce qui fera la force de l'Europe. C'est ce qui fait notre essence.

Tout comme nous assumons nos responsabilités en tant qu'individus, nous devons être prêts à les assumer en tant que nations. Car nous vivons dans un monde où nos idéaux vont être remis en question, encore et encore, par des forces qui tendent à nous ramener dans le conflit ou la corruption. Nous ne pouvons pas compter sur autrui pour affronter ces défis à notre place. Les politiques de votre gouvernement et les principes de votre Union européenne auront une importance cruciale pour déterminer si l'ordre international, que tant de générations avant vous se sont efforcées de créer, va continuer d'aller de l'avant ou se replier.

C'est là la question à laquelle nous devons tous répondre : quelle Europe, quelle Amérique, quel monde laisserons-nous derrière nous ? Et je crois que si nous tenons fermement à nos principes et si nous sommes prêts à les défendre avec courage et détermination, alors l'espoir finira par vaincre la peur, et la liberté continuera à triompher de la tyrannie — car c'est ce qui anime toujours le cœur humain.

Je vous remercie. (*Applaudissements.*)

La commémoration
de la marche de Selma

EDMUND PETTUS BRIDGE, SELMA,
ALABAMA, 7 MARS 2015
(extraits)

*Le 7 mars 1965, des militants pour les droits civiques
sont brutalement attaqués par la police sur le pont
Edmund Pettus lors de la première marche de Selma,
en Alabama. Cet épisode, tristement connu sous le nom
de Bloody Sunday, contribue à convaincre le Congrès
d'adopter dans les mois suivants le Voting Rights Act qui
rend illégales toutes les pratiques discriminatoires visant
à empêcher les citoyens membres de minorités d'exercer
leur droit de vote.*

*Cinquante ans plus tard, jour pour jour, anciens mani-
festants et plus hauts responsables du pays se retrouvent
devant le pont Edmund Pettus pour commémorer la
marche de Selma et le Bloody Sunday. Est notamment
présent le représentant démocrate John Lewis, l'un des
leaders du mouvement en 1965, qui s'exprime longuement avant que le président ne prenne la parole. Fourmil-
lant de références à l'histoire et à la culture américaines
(comme en témoignent les nombreuses notes), ce discours
est considéré à juste titre comme l'un des plus marquants,
voire comme le meilleur de Barack Obama.*

❖

LE PUBLIC : On vous aime, président Obama !

LE PRÉSIDENT : Vous savez que je vous aime aussi.

Il nous est rarement donné l'honneur de succéder à l'un de nos héros. Or John Lewis est l'un des miens.

Je dois cependant m'imaginer que lorsque le jeune John Lewis se réveilla ce matin-là, il y a cinquante ans, et qu'il se rendit à la Brown Chapel, il ne songeait pas à jouer les héros. Il ne songeait pas à un jour comme celui-là. Des jeunes gens avec des sacs de couchage et des sacs à dos s'affairaient un peu partout. Les vétérans du mouvement entraînaient les nouveaux venus aux tactiques de la non-violence, à la bonne façon de se défendre face aux attaques. Un médecin leur décrivait les effets du gaz lacrymogène sur le corps humain, tandis que les manifestants griffonnaient des instructions pour indiquer comment contacter leurs proches. L'atmosphère était chargée de doute, d'appréhension et de crainte. Ils se réconfortaient avec l'ultime couplet du dernier hymne qu'ils chantaient :

« Qu'importe l'épreuve, Dieu prendra soin de toi (*Marques d'approbation.*)

Toi qui es las, repose sur Sa poitrine, Dieu prendra soin de toi[1]. »

Puis, après avoir glissé dans sa musette une pomme, une brosse à dents et un livre sur la science du gouvernement — l'essentiel pour passer une nuit

1. Extrait de l'hymne religieux *God Will Take Care of You* de Civilla D. Martin.

derrière les barreaux — (*Rires*), John Lewis a ouvert la marche hors de l'église de ce groupe qui se donnait pour mission de changer l'Amérique. (*Pause.*)

Monsieur le président Bush et Madame Bush, Monsieur le gouverneur Bentley, Monsieur le maire Evans, Madame la représentante Sewell, Monsieur le révérend Strong, Mesdames et Messieurs les membres du Congrès, élus, militants, amis et concitoyens :

Comme l'a fait remarquer John, il est des lieux et des moments en Amérique où le destin de cette nation a été décidé. Beaucoup sont des sites de combat — Lexington et Concord, Appomattox et Gettysburg[1]. D'autres sont des sites qui symbolisent l'audace propre au caractère américain — Independence Hall et Seneca Falls, Kitty Hawk et cap Canaveral[2].

Selma fait partie de ces endroits. Au cours d'un même après-midi, il y a cinquante ans, tant d'éléments de notre histoire mouvementée — le stigmate de l'esclavage et le tourment de la guerre de Sécession, le joug de la ségrégation et la tyrannie des lois Jim Crow, le décès de quatre jeunes filles à Birmingham et le rêve d'un pasteur baptiste —, toute cette histoire se retrouva sur ce pont.

Ce n'était pas un affrontement entre deux

1. Célèbres batailles de la guerre d'Indépendance et de la guerre de Sécession.
2. Lieux de la Déclaration d'indépendance, de la Déclaration des sentiments (lors de la première convention pour les droits des femmes), du premier vol contrôlé d'un avion, et du décollage des fusées spatiales.

armées, mais un affrontement entre deux volon-
tés, une lutte pour déterminer ce que signifie
réellement l'Amérique. Et grâce à des hommes et
des femmes comme John Lewis, Joseph Lowery,
Hosea Williams, Amelia Boynton, Diane Nash,
Ralph Abernathy, C.T. Vivian, Andrew Young,
Fred Shuttlesworth, Martin Luther King (*Applaudissements*) et tant d'autres, l'idée d'une Amérique
juste, d'une Amérique équitable, d'une Amérique
non discriminatoire et d'une Amérique généreuse
— cette idée a finalement triomphé.

À l'instar du paysage de l'histoire américaine,
nous ne pouvons examiner ce moment isolément.
La marche de Selma s'inscrivait dans une campagne bien plus vaste qui couvrait plusieurs générations, et ses chefs de file ce jour-là appartenaient
à une longue lignée de héros.

Nous sommes ici réunis pour les célébrer. Nous
sommes ici réunis pour rendre hommage au courage d'Américains ordinaires prêts à endurer les
coups de matraque et le bâton de châtiment[1], les
gaz lacrymogènes et le piétinement des sabots,
des hommes et des femmes qui malgré le sang
répandu et les os brisés gardèrent foi en leur
étoile du Nord[2] et poursuivirent leur marche vers
la justice.

---

1. Expression (*chastening rod*) tirée d'une chanson écrite
par James Weldon Johnson, intitulée *Lift Every Voice and
Sing*, souvent considérée comme l'hymne national des Noirs
américains.
2. Référence au journal de l'abolitionniste Frederick Dou-
glass intitulé *The North Star* et publié de 1847 à 1851, ainsi qu'à

Ils suivirent les enseignements des Saintes Écritures : « Réjouissez-vous dans l'espérance. Endurez dans la détresse. Consacrez-vous assidûment à la prière[1]. » Et les jours suivants, ils revinrent encore et encore. Lorsqu'un vibrant appel fut lancé à venir grossir leurs rangs, d'autres les rejoignirent — noirs et blancs, jeunes et vieux, chrétiens et juifs, qui agitaient tous le drapeau américain et chantaient les mêmes hymnes de foi et d'espérance. Bill Plante, un journaliste blanc qui couvrait alors les manifestations et qui se trouve parmi nous aujourd'hui, déclara malicieusement que l'augmentation du nombre de Blancs diminuait la qualité des chants. (*Rires.*) Et pourtant, aux oreilles de ceux qui manifestaient, ces vieux gospels ne furent probablement jamais aussi mélodieux.

Avec le temps, leurs chants s'élevèrent et parvinrent au président Johnson, qui assura leur protection, puis s'adressa à la nation en se faisant l'écho de leur appel à l'Amérique et au monde : « Nous vaincrons ! » (*Applaudissements.*) Quelle foi prodigieuse animait ces hommes et ces femmes ! Une foi en Dieu, mais aussi une foi en l'Amérique.

Les Américains qui traversèrent ce pont n'étaient pas imposants physiquement, mais ils donnèrent du courage à des millions de gens. Ils n'étaient pas des élus en exercice, mais ils guidèrent une nation. Ils manifestèrent en tant qu'Américains

---

la direction métaphorique du Nord abolitionniste que devaient suivre les esclaves fugitifs.

1. Citation du Nouveau Testament, Romains 12:12 (*Nouvelle Bible Segond*, 2002).

qui avaient enduré des siècles de violence bru-
tale, d'innombrables humiliations quotidiennes
— mais ils ne demandaient pas un traitement de
faveur, simplement *l'égalité* qu'on leur avait promise près d'un siècle plus tôt. (*Pause.*)

Ce qu'ils accomplirent ici retentira à travers les
âges. Non pas parce que le changement qu'ils ont
obtenu était prédestiné, non pas parce que leur
victoire était totale, mais parce qu'ils ont démontré qu'il est possible de changer les choses sans
recourir à la violence, et que l'amour et l'espérance peuvent vaincre la haine. (*Pause.*)

À l'occasion de la commémoration de leur
exploit, nous sommes bien avisés de nous rappeler qu'à l'époque beaucoup de ceux qui étaient au
pouvoir condamnaient ces marches au lieu de les
encenser. En ce temps-là, on traitait les manifestants de communistes, de métis, d'agitateurs exté-
rieurs, de pervers sexuels et de dépravés, et pire
encore — on les appelait par tous les noms, sauf
par celui qu'on leur avait donné à la naissance.
On doutait de leur foi. On menaçait leurs vies. On
contestait leur patriotisme.

Et pourtant, qu'y a-t-il de plus américain que
les événements qui se sont déroulés ici ? (*Applaudissements.*) Qu'est-ce qui pourrait plus profon-
dément *démontrer* l'idée de l'Amérique que le fait
que des gens humbles et ordinaires — les oppri-
més, les rêveurs qui n'occupent pas un rang élevé,
qui ne sont pas nés riches ou privilégiés, qui ne
représentent pas qu'une seule tradition religieuse
mais plusieurs — que tous ces gens méconnus

s'unissent pour façonner le cours de l'histoire de leur pays ?

Existe-t-il meilleure expression de la foi en l'expérience américaine ? Existe-t-il meilleure forme de patriotisme que de croire que l'Amérique n'est pas encore achevée, que nous sommes assez forts pour l'autocritique, que chaque génération successive peut considérer nos imperfections et décider qu'il est en notre pouvoir de reconstruire cette nation afin d'être plus fidèles à nos grands idéaux ? (*Applaudissements*.)

Voilà pourquoi Selma ne fait pas figure d'exception dans l'expérience américaine. Voilà pourquoi Selma n'est pas un musée ou un monument figé à contempler de loin. Il s'agit au contraire de la manifestation des principes inscrits dans nos documents fondateurs : « Nous, le peuple... en vue de former une Union plus parfaite. » « Nous tenons pour évidentes pour elles-mêmes les vérités suivantes : tous les hommes sont créés égaux[1]. »

Ce ne sont pas que de simples mots. C'est une réalité tangible, un appel à l'action, une feuille de route pour la citoyenneté et une affirmation de la capacité des hommes et des femmes libres à modeler leur destinée. Pour des Pères fondateurs comme Franklin et Jefferson, pour des leaders comme Lincoln et Roosevelt, le succès de notre expérience démocratique reposait sur la participation de tous nos concitoyens à cette entreprise. Et

---

1. Citations du Préambule de la Constitution et de la Déclaration d'indépendance.

c'est ce que nous célébrons aujourd'hui à Selma.
C'était là l'essence de ce mouvement, une étape
dans notre long voyage vers la liberté. (*Applaudissements*.)

Cet instinct américain qui a guidé ces jeunes
gens à reprendre le flambeau et à traverser ce pont,
c'est le même instinct qui a poussé les patriotes à
choisir la révolution plutôt que la tyrannie. C'est
le même instinct qui a incité les immigrants à traverser les océans et le Rio Grande. C'est le même
instinct qui a amené les femmes à lutter pour le
droit de vote et les ouvriers à s'organiser pour lutter contre les conditions de travail injustes qui
leur étaient imposées. C'est le même instinct qui
nous a conduits à planter notre drapeau à Iwo
Jima et sur la surface de la Lune.

Cette idée est demeurée le credo de générations
de citoyens convaincus que l'Amérique est une
œuvre inachevée et qu'aimer ce pays exige plus
que de chanter ses louanges ou d'éviter de voir
certaines vérités gênantes. Cela exige parfois de
créer des désordres, de vouloir dénoncer les injus-
tices, de remettre en cause le *statu quo*. C'est cela,
l'Amérique. (*Applaudissements*.)

[...]

Amis manifestants, tant de choses ont changé
en cinquante ans. Nous avons enduré la guerre
et façonné la paix. Nous avons vu des merveilles
technologiques qui touchent chaque facette de
notre vie. Nous considérons comme normal un
confort que nos parents auraient difficilement ima-
giné. Mais ce qui n'a *pas* changé, c'est l'impératif

de la citoyenneté, c'est cette volonté d'un diacre de vingt-six ans, d'un pasteur unitarien ou d'une jeune mère de cinq enfants de décider que leur amour pour leur pays était si fort qu'ils étaient prêts à tout risquer pour en réaliser la promesse[1].

Voilà ce que signifie aimer l'Amérique. Voilà ce que signifie croire en l'Amérique. Voilà ce qu'on signifie quand on affirme que l'Amérique est exceptionnelle.

Car nous sommes nés du changement. Nous avons mis fin aux anciennes aristocraties, en nous déclarant non pas les héritiers d'une lignée mais dotés par le Créateur de certains droits inaliénables[2]. Nous garantissons nos droits et nos responsabilités par un système de gouvernement du peuple, par le peuple, pour le peuple[3]. C'est la raison pour laquelle nous discutons et bataillons avec tant de passion et de conviction : parce que nous savons que nos efforts sont importants. Nous savons que l'Amérique est ce que nous en faisons.

Voyez notre histoire. Nous sommes Lewis et Clark et Sacajawea, ces pionniers qui bravèrent l'inconnu et ouvrirent la voie à tous les fermiers, mineurs, entrepreneurs et colporteurs qui se ruèrent à leur suite. Voilà quelle est notre essence. Voilà qui nous sommes.

Nous sommes Sojourner Truth et Fannie Lou Hamer, ces femmes qui pouvaient accomplir

---

1. Allusions à Jimmie Lee Jackson, James Reeb et Viola Liuzzo, tous trois assassinés au cours de ces événements.
2. Référence à la Déclaration d'indépendance.
3. Référence à la formule d'Abraham Lincoln.

autant que n'importe quel homme et bien plus
encore. Nous sommes Susan B. Anthony qui
secoua le système jusqu'à ce que la loi reflète cette
vérité. Voilà quel est notre caractère.

Nous sommes les immigrants qui s'embar-
quèrent clandestinement pour atteindre ces rives,
les masses serrées qui aspirent à vivre libres[1] — les
survivants de la Shoah, les transfuges soviétiques,
les enfants perdus du Soudan. Nous sommes les
travailleurs acharnés pleins d'espoir qui traversent
le Rio Grande car nous voulons tous offrir à nos
enfants une vie meilleure. Voilà comment nous
avons été façonnés.

Nous sommes les esclaves qui bâtirent la
Maison-Blanche et l'économie du Sud. (*Applaudissements.*) Nous sommes les ouvriers agri-
coles et les cow-boys qui ouvrirent l'Ouest, et les
innombrables travailleurs qui posèrent des rails,
érigèrent des gratte-ciel et se syndiquèrent pour
défendre leurs droits.

Nous sommes les soldats aux visages juvéniles
qui combattirent pour libérer un continent. Et
nous sommes les pilotes de Tuskegee, les *code
talkers* navajos et les Nippo-Américains qui défen-
dirent ce pays alors même qu'on leur avait refusé
leur propre liberté[2].

---

1. Référence au poème d'Emma Lazarus, « The New Colos-
sus » (1883), gravé sur le piédestal de la statue de la Liberté
à New York.
2. Pendant la Seconde Guerre mondiale, les Tuskegee
Airmen étaient un groupe de pilotes afro-américains origi-
naires de Tuskegee, en Alabama, qui se distinguèrent par leurs

Nous sommes les pompiers qui se précipitèrent dans les tours le 11-Septembre, les volontaires qui s'enrôlèrent pour aller combattre en Afghanistan et en Irak. Nous sommes les Américains homosexuels dont le sang coula dans les rues de San Francisco et de New York, comme le sang coula sous ce pont. (*Applaudissements.*)

Nous sommes des conteurs, des écrivains, des poètes, des artistes qui abhorrent l'injustice et méprisent l'hypocrisie, qui donnent une voix à ceux qui en sont privés et disent les vérités qu'il ne faut pas taire.

Nous sommes les inventeurs du gospel, du jazz et du blues, du bluegrass et de la country, du hip-hop et du rock'n'roll, et de notre propre musique remplie de tout ce doux chagrin et de cette joie insouciante de la liberté.

Nous sommes Jackie Robinson, qui subit le mépris, les crampons pointus et les lancers qui visaient directement sa tête, mais qui parvint malgré tout à voler le marbre au championnat national de base-ball[1]. (*Applaudissements.*)

---

actions ; les *code talkers* navajos servirent principalement dans la marine pour transmettre des messages tactiques codés en utilisant leur propre langue ; certains Nippo-Américains purent combattre sous les drapeaux, mais l'immense majorité de leur communauté fut envoyée dans des camps d'internement pendant la guerre.

1. Jackie Robinson, premier joueur afro-américain à intégrer la Ligue majeure de base-ball lorsqu'il rejoignit les Brooklyn Dodgers en 1947. En 1955, il contribua largement à ce que son équipe remporte la Série mondiale contre les Yankees de New York, notamment en « volant le marbre » dès le premier match, c'est-à-dire en avançant d'une base à l'autre jusqu'à

Nous sommes le peuple que décrivait Langston Hughes, celui qui « construit ses temples pour demain, avec cette solidité qui est sa marque ». Nous sommes le peuple que décrivait Emerson, celui qui, « pour la vérité et l'honneur, tient bon et endure la souffrance », celui qui n'est « jamais fatigué, tant qu'il voit assez loin ».

C'est cela, l'Amérique. Non pas des images clichés, une histoire retouchée, ou de piètres tentatives de définir certains d'entre nous comme plus américains que d'autres. (*Applaudissements*.) Nous respectons le passé, mais nous n'en sommes pas nostalgiques. Nous ne craignons pas l'avenir, nous le saisissons. L'Amérique n'est pas fragile. Elle est immense et contient des foules, pour paraphraser Whitman. Nous sommes pleins d'entrain, de diversité et d'énergie, perpétuellement jeunes d'esprit. C'est pour cela que quelqu'un comme John Lewis, à l'âge respectable de vingt-cinq ans, put prendre la tête d'une puissante manifestation.

C'est cela que tous les jeunes ici présents et qui écoutent partout dans le pays doivent retenir de ce jour : vous êtes l'Amérique. Affranchis des habitudes et des conventions. Non entravés par ce qui *est*, parce que vous êtes prêts à saisir ce qui *devrait être*.

Car partout dans ce pays, il y a des initiatives à prendre, de nouvelles découvertes à faire, de nouveaux ponts à franchir. Et c'est *vous*, les jeunes et

---

retourner au point de départ — une tactique très risquée rarement réussie.

intrépides dans l'âme, la génération la plus diverse et la plus éduquée de notre histoire, que la nation attend de *suivre*.

Parce que Selma nous montre que l'Amérique n'est pas le projet d'une seule personne. Parce que le plus puissant vocable de notre démocratie, c'est ce « *Nous* ». « *Nous*, le peuple. » « *Nous* vaincrons. » « Oui, *nous* pouvons[1]. » Ce mot, personne ne le possède. Il appartient à *tous*. Oh, quelle glorieuse mission nous a-t-on confiée, de tâcher sans cesse d'améliorer ce grand pays qui est le nôtre !

Cinquante ans après ce Bloody Sunday, notre marche n'est pas encore terminée, mais nous sommes plus près du but. Deux cent trente-neuf ans après la création de cette nation, notre union n'est pas encore parfaite, mais nous sommes plus près du but. Notre tâche est plus aisée car d'autres ont déjà parcouru pour nous ce premier kilomètre. D'autres ont déjà traversé ce pont pour nous. Lorsque la route semble trop dure, lorsque le flambeau qu'on nous a transmis paraît trop lourd, nous nous souviendrons de ces premiers voyageurs, nous puiserons de la force dans leur exemple, et nous nous raccrocherons aux paroles du prophète Ésaïe : « Ceux qui espèrent le Seigneur renouvellent leur force. Ils prennent leur essor comme les aigles ; ils courent et ne se fatiguent pas, ils marchent et ne s'épuisent pas[2]. » (*Applaudissements*.)

---

1. Référence à son slogan : « *Yes, we can.* »
2. Citation de l'Ancien Testament, Ésaïe 40:31 (*Nouvelle Bible Segond*, 2002).

Nous honorons ceux qui marchèrent afin que nous puissions courir. Nous devons courir afin que nos enfants puissent prendre leur envol. Et nous ne nous lasserons point. Car nous croyons en la puissance d'un Dieu redoutable et nous croyons en la promesse sacrée de ce pays.

Qu'Il bénisse ces justiciers qui ne sont plus parmi nous et bénisse les États-Unis d'Amérique. Je vous remercie. (*Applaudissements.*)

L'enjeu du changement climatique

PARIS (LE BOURGET),
30 NOVEMBRE 2015
(discours intégral)

La conférence des Nations unies sur le changement climatique Paris 2015, mieux connue sous l'abréviation COP 21, est organisée en France quelques jours après les attentats du 13 novembre 2015 qui ensanglantent Paris. À l'instar de la question de la santé, le changement climatique représente l'un des dossiers phares de la présidence Obama, comme en attestent la présence du président à la conférence et son militantisme pour obtenir un accord ambitieux visant à lutter contre le réchauffement climatique.

À l'image de ceux du Caire et de Bruxelles, ce discours, prononcé dans une atmosphère solennelle et devant un auditoire silencieux, fournit un autre exemple de la vision à long terme de Barack Obama, de son appel à une action collective responsable et à une authentique coopération entre les peuples pour offrir un avenir digne de ce nom aux générations futures.

Monsieur le président Hollande, Monsieur le secrétaire général, Mesdames et Messieurs les dirigeants. Nous sommes venus à Paris pour montrer notre détermination.

Nous présentons nos condoléances au peuple français pour les attentats barbares qui ont frappé cette belle ville. Nous restons unis dans la solidarité non seulement pour traduire en justice le réseau terroriste responsable de ces attentats, mais aussi pour protéger nos populations et défendre les valeurs impérissables qui font notre force et préservent notre liberté. Nous rendons hommage aux Parisiens qui ont insisté pour que cette conférence cruciale ait lieu comme prévu — cette attitude de défi prouve que rien ne nous dissuadera de construire l'avenir que nous voulons pour nos enfants. Quelle meilleure façon de rejeter ceux qui voudraient anéantir notre monde que de mobiliser tous nos efforts pour le sauver ?

Près de deux cents nations sont réunies ici cette semaine — c'est l'affirmation que, malgré tous les défis auxquels nous sommes confrontés, la menace grandissante du changement climatique pourrait définir les contours de ce siècle d'une manière plus radicale que tout autre péril. Ce qui devrait nous donner l'espoir que nous sommes bel et bien à un tournant, que nous sommes arrivés au moment où nous avons enfin décidé de sauver la planète, c'est le fait que nos nations respectives partagent à la fois un sentiment d'urgence face à cet enjeu et une prise de conscience croissante qu'il est en notre pouvoir d'y remédier.

Nous comprenons mieux chaque jour comment les êtres humains perturbent le climat. Quatorze des quinze années les plus chaudes jamais enregistrées ont eu lieu depuis l'an 2000, et il semble que

2015 s'apprête à établir un record. Aucune nation
— grande ou petite, riche ou pauvre — n'est immu-
nisée contre les retombées de cette évolution.

Cet été, j'ai constaté par moi-même les effets
du changement climatique en Alaska, notre État
le plus septentrional, où la mer est déjà en train
d'engloutir des villages et d'éroder le littoral, où
le permafrost dégèle et la toundra brûle, où les
glaciers fondent à un rythme sans précédent à
l'époque moderne. C'était un aperçu de ce que
l'avenir peut nous réserver : une vision du sort de
nos enfants si le changement climatique continue
de prendre de vitesse nos efforts pour y faire face.
Des pays submergés. Des villes abandonnées. Des
champs qui ne produisent plus. Des bouleversements politiques qui déclenchent de nouveaux
conflits, et un afflux croissant de peuples déses-
pérés cherchant refuge dans des nations qui ne
sont pas les leurs.

Ce n'est pas un avenir pour des économies
fortes, ni pour des États fragiles qui essaient de
trouver leur équilibre. C'est un avenir que nous
avons le pouvoir de changer. Ici et maintenant.
Mais seulement si nous nous montrons à la hau-
teur des circonstances. Comme l'a dit l'un des
gouverneurs des États-Unis : « Nous sommes la
première génération à ressentir l'impact du changement climatique et la dernière génération à pouvoir agir avant qu'il ne soit trop tard[1]. »

---

1. Jay Inslee, gouverneur démocrate de l'État de Washington
depuis 2013.

Je suis venu ici en personne, en tant que leader de la plus grande économie du monde et du deuxième pays émetteur, pour annoncer que non seulement les États-Unis reconnaissent leur rôle dans la genèse de ce problème, mais aussi qu'ils acceptent leur responsabilité pour faire en sorte de le régler.

Au cours des sept dernières années, nous avons procédé à des investissements ambitieux dans l'énergie propre et à des réductions tout aussi ambitieuses de nos émissions de carbone. Nous avons multiplié l'éolien par trois et le solaire par plus de vingt, ce qui a contribué à créer, dans notre pays, des régions où ces sources d'énergie propres coûtent finalement moins cher que l'énergie classique et plus polluante. Nous avons investi pour améliorer notre efficacité énergétique de toutes les façons possibles et imaginables. Nous avons bloqué la mise en place d'infrastructures permettant l'extraction de combustibles fossiles riches en carbone, tandis que nous avons accepté les toutes premières normes nationales qui limitent la quantité de carbone que nos centrales électriques peuvent rejeter dans l'atmosphère.

Les progrès que nous avons enregistrés ont contribué à propulser notre production économique vers des records absolus et à faire tomber notre pollution par le carbone à son niveau le plus bas depuis près de vingt ans.

Mais la bonne nouvelle, c'est que cette tendance ne se rencontre pas uniquement en Amérique. L'an dernier, l'économie mondiale était en expansion alors que les émissions mondiales de carbone dues à l'énergie fossile sont restées inchangées. On ne peut exagérer l'importance de ce que cela signifie. Nous nous sommes débarrassés des arguments habituels en faveur de l'inaction. Nous avons démontré qu'une croissance économique vigoureuse et un environnement plus sûr peuvent œuvrer ensemble au lieu d'entrer en conflit l'un avec l'autre.

Ceci devrait nous donner de l'espoir. L'un des ennemis contre lesquels il faudra nous battre pendant cette conférence, c'est le cynisme, l'idée que nous ne pouvons rien faire contre le changement climatique. Nos progrès devraient nous donner de l'espoir pendant ces deux semaines — un espoir qui est enraciné dans l'action collective.

Plus tôt ce mois-ci à Dubai, après des années d'atermoiements, le monde s'est mis d'accord pour agir de concert afin de réduire les superpolluants appelés HFC[1]. C'est un progrès. Déjà, avant Paris, plus de cent quatre-vingts pays, représentant plus de 95 % des émissions mondiales, ont présenté leurs propres objectifs pour le climat. C'est un progrès. En ce qui nous concerne, les États-Unis sont sur la bonne voie pour atteindre les objectifs que j'ai fixés il y a six ans à Copenhague — nous allons réduire d'ici 2020 nos émissions de carbone de l'ordre de 17 % par rapport aux niveaux de 2005. C'est pourquoi j'ai établi l'an dernier un nouvel objectif : les États-Unis réduiront dans les

---

1. Les hydrofluorocarbures.

dix ans à venir leurs émissions de 26 à 28 % par rapport aux niveaux de 2005.

Notre tâche ici, à Paris, est de transformer ces succès en un système pérenne pour le progrès humain — non pas une solution de dépannage mais une stratégie de long terme qui permette au monde d'avoir confiance en un avenir à faible intensité de carbone.

Ici, à Paris, obtenons un accord ambitieux, par lequel le progrès ouvrira la voie à des objectifs régulièrement réactualisés — des objectifs qui ne seront pas fixés pour chacun d'entre nous mais *par* chacun d'entre nous, en tenant compte des différences propres à chaque nation.

Ici, à Paris, acceptons un solide système de transparence qui donne à chacun la confiance que tous rempliront leurs engagements. Et assurons-nous que les pays qui ne peuvent pas encore totalement rendre compte de leurs objectifs recevront le soutien dont ils ont besoin.

Ici, à Paris, réaffirmons notre engagement à ce que des ressources soient disponibles pour les pays disposés à renoncer à la phase polluante du développement. Je reconnais que cela ne sera pas facile. Il faudra s'engager à innover et il faudra des capitaux pour continuer à faire baisser le coût de l'énergie propre. C'est pourquoi je me joindrai cet après-midi à un grand nombre d'entre vous pour annoncer une initiative collective historique visant à accélérer l'innovation tant publique que privée dans le domaine de l'énergie propre à l'échelle planétaire.

Ici, à Paris, assurons-nous également que ces ressources afflueront vers les nations qui ont besoin d'aide pour se préparer aux retombées désormais inévitables du changement climatique. Nous savons pertinemment que beaucoup de pays qui ne sont guère responsables de ce dérègle-ment seront pourtant les premiers à en ressentir les effets les plus dévastateurs. Pour certains, en particulier pour les États insulaires — dont je ren-contrerai les dirigeants demain —, le changement climatique menace leur existence même. C'est pourquoi aujourd'hui, de concert avec d'autres nations, les États-Unis confirment leur ferme volonté de continuer à aider le Fonds pour les pays les moins avancés. Demain, nous nous enga-gerons à contribuer à nouveau aux initiatives d'as-surance des risques qui aident les populations les plus vulnérables à se reconstruire plus solidement après des désastres liés au climat.

Pour finir, ici, à Paris, montrons aux entre-prises et aux investisseurs que l'économie mon-diale est fermement engagée sur le chemin d'un avenir à faible intensité de carbone. Si nous instaurons les règles et les mesures incitatives appropriées, nous libérerons l'énergie créatrice de nos meilleurs scientifiques, ingénieurs et entrepreneurs pour déployer des technologies énergétiques propres qui créeront partout dans le monde de nouveaux emplois et de nouvelles perspectives. Des centaines de milliards de dol-lars sont prêts à être investis dans des pays du monde entier s'ils reçoivent le signal que cette fois-ci nous allons agir concrètement. Envoyons-leur ce signal.

C'est ce que nous chercherons à obtenir ces deux prochaines semaines. Non pas un accord qui se contente de réduire la pollution que nous envoyons dans le ciel, mais plutôt un accord qui nous aide à sortir les gens de la pauvreté sans condamner la prochaine génération à une planète qu'elle ne sera plus en capacité de réparer. Ici, à Paris, nous pouvons prouver au monde ce qu'il est possible de réaliser lorsque nous nous mobilisons, unis dans un effort commun et par un but commun.

Que personne n'en doute : la prochaine génération nous regarde à l'œuvre. Il y a à peine plus d'une semaine, j'étais en Malaisie, où j'ai participé à une réunion-débat avec des jeunes. Une jeune Indonésienne m'a posé la première question, qui ne portait pas sur le terrorisme, ni sur l'économie, ni sur les droits humains, mais sur le changement climatique. Cette jeune femme m'a demandé si j'étais optimiste quant à nos chances de succès ici à Paris et de quelle manière les jeunes comme elle pouvaient apporter leur aide.

Je veux que nos actions lui démontrent que nous sommes à l'écoute. Je veux que nos actions soient suffisamment ambitieuses pour faire appel aux talents de tous — hommes et femmes, riches et pauvres. Je souhaite montrer à cette jeune génération passionnée et idéaliste que nous nous soucions de son avenir.

Car je crois, comme le disait Martin Luther King,

qu'il arrive parfois qu'on s'y prenne trop tard. Or en matière de changement climatique, l'heure va bientôt sonner. Mais si nous agissons ici et maintenant, si nous faisons passer nos intérêts à court terme après l'air que nos jeunes respireront, la nourriture qu'ils mangeront, l'eau qu'ils boiront, et les espoirs et les rêves qui leur donnent du courage, alors nous ne nous y prendrons pas trop tard pour eux.

Mesdames et Messieurs les dirigeants, en acceptant ce défi nous ne serons pas récompensés par des moments de victoire clairs ou rapides. Notre progrès se mesurera différemment : par les souffrances évitées et par une planète préservée. C'est ce qui a toujours rendu cette tâche si difficile. Notre génération ne verra peut-être même pas la concrétisation de tout ce que nous accomplirons ici. Mais savoir que celle qui nous suit sera mieux lotie grâce à notre action — peut-on imaginer plus digne récompense ? Transmettre cet héritage à nos enfants et à nos petits-enfants qui pourront ainsi, en contemplant rétrospectivement ce que nous avons fait ici à Paris, être fiers de notre succès.

Que ceci soit notre but commun ici à Paris. Un monde digne de nos enfants. Un monde marqué non pas par les conflits mais par la coopération, non pas par la souffrance mais par le progrès de l'humanité. Un monde plus sûr, plus prospère et plus libre que celui dont nous avons hérité.

Mettons-nous au travail. Je vous remercie. (*Applaudissements*.)

Les adieux

Barack Obama décide de retourner à Chicago, sa ville de cœur et d'adoption, pour faire ses adieux à la nation. Il ne mentionne qu'une seule fois son successeur à la Maison-Blanche, mais l'ombre de la victoire de Donald Trump à l'élection présidentielle de 2016 est manifeste dans le choix d'Obama de consacrer ce traditionnel discours de clôture à l'état de la démocratie en Amérique.

Reproduit ici dans son intégralité, ce très long message chargé d'émotions (décrites dans un abondant paratexte) vient clore adéquatement cette anthologie en proposant un rappel des thèmes et thématiques déjà évoqués, en esquissant un bilan de ces huit années passées à la Maison-Blanche et en offrant un retour aux sources qui permet d'une certaine manière de « boucler la boucle », car Barack Obama conclut sa présidence sur le slogan qui avait contribué à le faire élire, suggérant combien il est resté jusqu'au bout fidèle à ses idées : Yes, we can.

(Obama est longuement acclamé avant de commencer son discours.)

Mes chers compatriotes,

Michelle et moi-même avons été très touchés
par tous les bons vœux que nous avons reçus
ces dernières semaines. Mais ce soir, c'est à mon
tour de vous remercier. Que nous ayons été sur
la même longueur d'onde ou que nous soyons
rarement tombés d'accord, mes échanges avec
vous, citoyens américains — dans des salles de
séjour et des écoles, dans des fermes et des ateliers, dans des cafés-restaurants et de lointains
avant-postes militaires — ce sont ces échanges qui
m'ont permis de rester honnête, de rester inspiré
et de persévérer. Chaque jour, vous m'avez appris
des choses. Vous avez fait de moi un meilleur président, et un homme meilleur.

J'avais une vingtaine d'années quand je suis
arrivé à Chicago pour la première fois. J'essayais
alors encore de comprendre qui j'étais, de trouver
mon but dans la vie. Et c'est dans un quartier
tout près d'ici que j'ai commencé à travailler avec
des groupes religieux dans l'ombre des aciéries
fermées. C'est dans ces rues que j'ai été témoin
de la puissance de la foi et de la dignité discrète
des travailleurs face aux épreuves et à la perte. (*La
clameur du public s'élève.*)

LE PUBLIC : Quatre ans de plus ! Quatre ans de
plus ! Quatre ans de plus !

LE PRÉSIDENT : Je ne peux pas faire ça. (*Sourire
et petit rire d'Obama.*)

LE PUBLIC : Quatre ans de plus ! Quatre ans de
plus ! Quatre ans de plus !

LE PRÉSIDENT : (*À nouveau sérieux.*) C'est là

que j'ai appris que le changement ne survient que lorsque les gens ordinaires s'impliquent, participent et s'unissent pour l'exiger.

Après huit ans comme président, je le crois toujours. Et ce n'est pas seulement ma conviction. C'est ce qui fait battre le cœur de l'idée américaine : l'audace de notre expérience démocratique. C'est la conviction que nous sommes tous créés égaux, dotés par notre Créateur de certains droits inaliénables, parmi lesquels se trouvent la vie, la liberté et la recherche du bonheur. C'est l'insistance que ces droits, quoique évidents pour eux-mêmes, n'ont jamais été auto-exécutoires, que *Nous*, le Peuple, par l'instrument de notre démocratie, pouvons former une union plus parfaite[1].

Quelle idée radicale ! Quel merveilleux don nos Pères fondateurs nous ont légué : la liberté de poursuivre nos rêves personnels grâce à notre sueur, notre labeur et notre imagination, mais aussi l'impératif d'unir nos efforts afin d'atteindre un intérêt commun, un intérêt plus grand.

Depuis deux cent quarante ans, l'appel de notre nation à la citoyenneté a procuré du travail et un but à chaque nouvelle génération. C'est ce qui amena les patriotes à choisir la démocratie plutôt que la tyrannie, les pionniers à partir vers l'ouest, les esclaves à prendre courageusement ce chemin de fer de fortune vers la liberté[2]. C'est ce qui

1. Références à la Déclaration d'indépendance et à la Constitution des États-Unis.
2. Référence au chemin de fer clandestin, ce réseau qui aidait les esclaves à rejoindre le Nord abolitionniste.

poussa les immigrants et les réfugiés à traverser les océans et le Rio Grande. (*Applaudissements.*) C'est ce qui poussa les femmes à lutter pour le droit de vote et les ouvriers à s'organiser. C'est pour cela que les GI ont donné leur vie à Omaha Beach et à Iwo Jima, en Irak et en Afghanistan, et pour cela que les hommes et les femmes, de Selma à Stonewall[1], étaient prêts eux aussi à donner la leur. (*Applaudissements.*)

Voilà ce que l'on veut dire quand on affirme que l'Amérique est exceptionnelle — non pas que notre nation ait été irréprochable depuis le début, mais parce que nous avons montré notre capacité à changer et à rendre la vie meilleure pour les générations suivantes. (*Applaudissements.*) Oui, notre progrès a été inégal. La démocratie n'a jamais été une tâche facile. Elle a toujours été sujette à controverse. Elle a parfois été sanglante. Après deux pas en avant, on a souvent l'impression de faire un pas arrière. Mais tout le cours de l'Amérique a été défini par la marche en avant, par l'élargissement permanent de ses principes fondateurs pour embrasser non pas seulement quelques-uns mais tous. (*Applaudissements.*)

Si je vous avais dit, il y a huit ans, que l'Amérique inverserait le cours d'une récession majeure, relancerait son industrie automobile et enclencherait la plus longue période de création d'emplois de son histoire (*Applaudissements*) — si je vous avais dit

---

1. Les émeutes de Stonewall en 1969, symbole de la lutte pour les droits des homosexuels.

que nous ouvririons un nouveau chapitre avec le peuple cubain, que nous arrêterions le programme nucléaire militaire de l'Iran sans tirer un seul coup de feu, que nous éliminerions le cerveau des attentats du 11-Septembre (*Applaudissements*) — si je vous avais dit que nous réussirions à légaliser le mariage homosexuel (*Applaudissements*) et à garantir le droit à une couverture santé pour vingt millions de plus de nos concitoyens (*Applaudissements*) — si je vous avais dit tout cela, vous auriez peut-être considéré que nous placions la barre un peu trop haut. C'est pourtant ce que nous avons accompli. (*Applaudissements.*) C'est ce que *vous* avez accompli. *Vous* avez été le changement. Vous avez répondu à l'espoir des gens, et grâce à vous, et ce à presque tous points de vue, l'Amérique est meilleure et plus forte qu'à notre arrivée. (*Applaudissements.*)

Dans dix jours, le monde assistera à l'une des cérémonies qui sont la marque de notre démocratie… (*La protestation du public l'interrompt un instant.*)

LE PUBLIC : Nooooon…

LE PRÉSIDENT : Non, non, non, non, non — la paisible passation de pouvoir d'un président librement élu à l'autre. (*Applaudissements.*) Je me suis engagé envers le président élu Trump à ce que mon administration garantisse une transition la plus douce possible, tout comme le président Bush l'a fait pour moi. (*Applaudissements.*) Car il est de notre responsabilité à tous de nous assurer que notre gouvernement peut nous aider à relever les nombreux défis qui nous attendent.

Nous avons ce qu'il nous faut pour le faire.
Nous avons tout ce dont il est besoin pour relever
ces défis. Après tout, nous demeurons la nation la
plus riche, la plus puissante et la plus respectée
au monde. Grâce à notre jeunesse, notre dyna-
misme, notre diversité et notre ouverture, notre
capacité illimitée à prendre des risques et à nous
réinventer, l'avenir devrait nous appartenir. Mais
ce potentiel ne pourra se concrétiser que si notre
démocratie fonctionne, que si notre vie politique
reflète mieux la dignité de notre peuple (*Applaudissements*) — que si tous, indépendamment de
nos convictions politiques ou de nos intérêts particuliers, nous contribuons à restaurer cette raison d'être commune dont nous avons terriblement
besoin à présent.

C'est sur ce point que je veux mettre l'accent
ce soir : l'état de notre démocratie. Comprenez,
la démocratie n'exige pas l'uniformité. Nos Pères
fondateurs eurent des différends. Ils se querel-
lèrent. Ils finirent par trouver des compromis. Ils
voulaient que nous en fassions autant. (*Applaudissements.*) Mais ils savaient que la démocratie
exige le sens de la solidarité : l'idée que malgré
toutes nos différences extérieures, nous appar-
tenons tous à la même communauté, nous ne
faisons qu'un dans la grandeur et la décadence.
(*Applaudissements.*)

Certains moments de notre histoire ont menacé
cette solidarité. Et le début de ce siècle a été l'un
d'eux. Un monde qui rapetisse, des inégalités
croissantes, des changements démographiques et

le spectre du terrorisme — ces forces n'ont pas seulement mis à rude épreuve notre sécurité et notre prospérité, mais également notre démocratie. Or notre façon de relever ces défis pour notre démocratie déterminera notre capacité à éduquer nos enfants, à créer de bons emplois et à protéger notre patrie. En d'autres termes, cela détermina notre avenir.

Pour commencer, notre démocratie ne pourra pas fonctionner sans le sentiment que tout le monde a des perspectives économiques. Et la bonne nouvelle, c'est qu'aujourd'hui l'économie a repris le chemin de la croissance. Les salaires, les revenus, les valeurs immobilières et les retraites sont en augmentation tandis que la pauvreté recule à nouveau. (*Applaudissements.*) Les riches paient des impôts de façon plus équitable alors même que le marché boursier pulvérise les records. Le taux de chômage est quasiment à son plus bas niveau depuis dix ans. Le taux de personnes privées d'assurance maladie n'a jamais été aussi bas. (*Applaudissements.*) Le coût des soins médicaux n'a jamais augmenté aussi lentement depuis cinquante ans. Je l'ai déjà dit et je parle sérieusement : si quelqu'un réussit à élaborer un plan incontestablement meilleur que les améliorations que nous avons apportées à notre système de santé et qui couvre autant de personnes à un coût inférieur, je lui apporterai publiquement mon soutien. (*Applaudissements.*)

Car c'est pour cela, après tout, que nous servons notre pays. Non pas pour marquer des points ou pour s'en attribuer le mérite, mais pour améliorer la vie des gens.

Malgré tous les progrès que nous avons réalisés, nous savons néanmoins qu'ils ne sont pas suffisants. Notre économie fonctionne moins bien et croît moins vite quand quelques-uns prospèrent aux dépens de l'expansion d'une classe moyenne et de la mise en place d'ascenseurs pour ceux qui veulent intégrer cette classe moyenne. C'est l'argument économique. Mais les inégalités flagrantes sont également nuisibles à notre idéal démocratique. Alors que 1 % des Américains en haut de l'échelle ont amassé une part plus importante de la richesse et des revenus, de trop nombreuses familles, tant dans les quartiers défavorisés que dans les campagnes, ont été oubliées — l'ouvrier d'usine licencié, la serveuse ou l'infirmière qui réussit à peine à s'en sortir et qui a du mal à payer les factures —, et ces familles sont convaincues que les dés sont pipés, que leur gouvernement ne sert que les intérêts des puissants. C'est là le meilleur moyen de renforcer le cynisme et la polarisation de notre vie politique.

Il n'y a pas de solutions miracles à cette tendance de fond. J'en conviens, notre commerce devrait être équitable et pas seulement libre. Mais la prochaine vague de bouleversements économiques ne viendra pas de l'étranger. Elle viendra du rythme implacable de l'automatisation qui rend obsolètes un grand nombre de bons emplois pour la classe moyenne.

Nous allons donc devoir forger un nouveau pacte

social pour garantir à tous nos enfants l'éducation dont ils ont besoin (*Applaudissements*), pour donner aux travailleurs le pouvoir de se syndiquer afin d'obtenir de meilleurs salaires, pour moderniser notre filet de protection sociale afin qu'il reflète notre façon de vivre à l'heure actuelle, et pour réformer davantage notre fiscalité afin que les entreprises et les individus qui profitent le plus de cette nouvelle économie ne se soustraient pas à leurs obligations envers le pays qui a rendu possible leur succès. (*Applaudissements.*)

Nous pouvons discuter de la meilleure façon d'atteindre ces objectifs. Mais nous ne pouvons pas sous-estimer les objectifs eux-mêmes. Car si nous n'ouvrons pas les perspectives pour tous, le mécontentement et la division qui ont suspendu nos progrès ne feront que s'exacerber dans les années à venir.

Il existe une deuxième menace pour notre démocratie — une menace aussi vieille que notre nation elle-même. Après mon élection, on entendait parler d'une Amérique post-raciale. Et une telle vision, quoique bien intentionnée, n'a jamais été réaliste. La question raciale demeure une force puissante qui bien souvent crée des dissensions au sein de notre société. J'ai vécu assez longtemps pour savoir que les relations interraciales sont meilleures aujourd'hui qu'il y a dix, vingt ou trente ans, quoi qu'en disent certains. (*Applaudissements.*) On l'observe non seulement dans les statistiques, mais aussi dans l'attitude des jeunes Américains sur l'ensemble de l'échiquier politique.

Mais nous avons encore des progrès à faire. Et nous avons tous encore du pain sur la planche. Si tous les problèmes économiques sont présentés comme le résultat d'une lutte entre une classe moyenne blanche travailleuse et une minorité peu méritante, alors tous les travailleurs, quelle que soit leur couleur, en seront réduits à se battre pour des miettes tandis que les riches se retireront toujours plus dans leurs enclaves privées. (*Applaudissements.*) Si nous refusons de dépenser de l'argent pour les enfants d'immigrants, simplement parce qu'ils ne nous ressemblent pas, nous restreindrons les perspectives de nos propres enfants, car ces enfants à la peau basanée représenteront une part toujours plus grande de la main-d'œuvre américaine. (*Applaudissements.*) Et nous avons démontré que notre économie ne doit pas forcément être un jeu à somme nulle. L'an dernier, les revenus ont augmenté pour tous les groupes ethniques, toutes les tranches d'âge, tant pour les hommes que pour les femmes.

Donc, si nous avons réellement l'intention de faire avancer la question raciale, nous devons faire respecter les lois contre la discrimination, que ce soit au niveau de l'embauche, du logement, de l'éducation et du système pénal. (*Applaudissements.*) C'est ce qu'exigent notre Constitution et nos grands idéaux.

Mais les lois seules ne suffiront pas. Les cœurs aussi doivent changer. Cela ne se fera pas du jour au lendemain. Il faut souvent plusieurs générations pour que les mœurs évoluent. Mais si nous voulons que notre démocratie fonctionne comme elle le devrait dans cette nation de plus en plus diverse, alors chacun d'entre nous doit essayer d'écouter le conseil de ce grand personnage de la littérature américaine, Atticus Finch, qui disait : « On ne comprend jamais vraiment quelqu'un tant qu'on ne considère pas les choses de son point de vue... tant qu'on ne s'est pas glissé dans sa peau pour expérimenter sa perspective[1]. »

Pour les Noirs et les autres minorités, cela signifie lier nos luttes concrètes pour la justice aux défis auxquels sont confrontés beaucoup de gens dans ce pays — pas seulement le réfugié ou l'immigrant, le pauvre de la campagne ou l'Américain transgenre, mais aussi le Blanc d'âge moyen qui, de l'extérieur, paraît peut-être avoir des avantages, mais qui a vu son monde chamboulé par des changements économiques, culturels et technologiques. Nous devons prêter attention et écouter. (*Applaudissements.*)

Pour les Américains blancs, cela signifie reconnaître que les effets de l'esclavage et de la ségrégation n'ont pas subitement disparu dans les années soixante (*Applaudissements*), que lorsque les groupes minoritaires expriment leur mécontentement, ils ne se lancent pas dans un simple racisme à l'envers ou dans le politiquement correct. Quand ces minorités protestent pacifiquement, elles demandent non pas un traitement de

---

1. Citation du roman *Ne tirez pas sur l'oiseau moqueur* de Harper Lee, publié en 1960.

faveur mais *l'égalité* promise par nos Pères fonda-teurs. (*Tonnerre d'applaudissements.*)

Pour les Américains de naissance, cela signifie nous rappeler que les stéréotypes sur les immi-grants d'aujourd'hui étaient exprimés, quasiment à la lettre, à propos des Irlandais, des Italiens et des Polonais, qui, disait-on, allaient détruire l'essence même de l'Amérique. En fin de compte, l'Amérique n'a pas été affaiblie par la présence de ces nouveaux venus. Ces derniers ont embrassé les principes de la nation, et la nation en a été renforcée. (*Applaudissements.*)

Ainsi, quelle que soit notre place dans la société, nous devons tous faire encore plus d'efforts. Nous devons tous d'abord partir du principe que chacun de nos concitoyens aime ce pays autant que nous, qu'il attache autant d'importance au travail et à la famille que nous, que leurs enfants sont tout aussi curieux et pleins d'espoir et qu'ils méritent d'être aimés autant que les nôtres. (*Applaudissements.*)

Ce n'est pas chose facile. Pour trop d'entre nous, il est devenu plus sûr de nous retirer dans nos bulles, que ce soit dans nos quartiers, sur les campus universitaires, dans les lieux de culte ou surtout dans nos médias sociaux, entourés de gens qui nous ressemblent, partagent les mêmes points de vue politiques et ne remettent jamais en ques-tion nos présupposés. L'expression toujours plus manifeste de l'esprit de parti, le creusement des inégalités économiques et régionales, la fragmen-tation de nos médias pour répondre à des goûts particuliers — tout cela donne l'impression que

ce vaste tri se fait naturellement, voire inélucta-
blement. De plus en plus souvent, nous sommes
tellement en sécurité dans nos bulles que nous
nous mettons à accepter uniquement les informations — qu'elles soient vraies ou fausses — qui
se conforment à nos opinions, au lieu de fonder
notre point de vue sur les faits qui se trouvent
à l'extérieur de notre cercle. (*Applaudissements.*)

Cette tendance représente une troisième menace
pour notre démocratie. Mais la politique est une
bataille d'idées. C'est ainsi que notre démocratie a été conçue. Au cours d'un débat sain, nous
donnons la priorité à différents objectifs et aux
différents moyens de les atteindre. Mais si nous
ne partageons pas une base commune de faits,
si nous ne sommes pas prêts à accepter de nouvelles informations et à reconnaître que notre
adversaire fait peut-être une remarque pertinente
et que la science et la raison importent (*Tonnerre
d'applaudissements*), alors le dialogue de sourds va
se poursuivre et il deviendra impossible de trouver
un terrain d'entente et des compromis.

N'est-ce pas l'une des raisons qui découragent
si souvent de la politique ? Comment les élus
peuvent-ils s'emporter contre les déficits quand
on propose de dépenser de l'argent pour les écoles
maternelles, mais pas quand on allège les impôts
des entreprises ? (*Applaudissements.*) Comment
pouvons-nous excuser les fautes éthiques au sein
de notre propre parti si c'est pour nous jeter sur
celles de notre adversaire politique ? Ce tri sélec-
tif des faits n'est pas seulement malhonnête, il

est contre-productif. Car, comme me le disait ma mère, la réalité trouve toujours le moyen de nous rattraper. (*Applaudissements.*)

Prenez le défi du changement climatique. En huit ans seulement, nous avons réduit de moitié notre dépendance à l'égard du pétrole étranger, nous avons doublé notre énergie renouvelable, nous avons amené le monde à un accord qui promet de sauver la planète. (*Applaudissements.*) Mais sans une action plus audacieuse, nos enfants n'auront pas le temps de débattre de l'existence du dérèglement climatique. Ils seront occupés à en gérer les effets : davantage de catastrophes environnementales, davantage de bouleversements économiques, des vagues de réfugiés du climat à la recherche d'un asile.

Nous pouvons et nous devrions discuter de la meilleure approche pour résoudre ce problème. Mais nier purement et simplement l'enjeu trahit non seulement les générations futures mais aussi l'essence même de ce pays — cet esprit d'innovation et de résolution des problèmes qui guida nos Pères fondateurs. (*Applaudissements.*)

C'est cet esprit, né des Lumières, qui a fait de notre pays une puissance économique, qui a pris son envol à Kitty Hawk et au cap Canaveral, qui soigne les maladies et glisse un ordinateur dans chaque poche.

C'est cet esprit-là — la foi dans la science et l'initiative, la primauté du droit sur la force — qui nous a permis de résister au leurre du fascisme et à la tyrannie pendant la Grande Dépression, qui nous a permis de construire un nouvel ordre après la Seconde Guerre mondiale avec les autres démocraties, un ordre fondé non pas seulement sur le pouvoir militaire ou sur les affiliations nationales mais sur des principes : l'autorité de la loi, les droits humains, la liberté de culte, d'expression et de réunion, et une presse indépendante. (*Applaudissements.*)

Cet ordre est maintenant contesté, d'abord par des fanatiques violents qui prétendent parler au nom de l'islam, plus récemment par des autocrates qui considèrent les économies de marché, les démocraties ouvertes et la société civile elle-même comme une menace pour leur pouvoir. Chacun de ces dangers pour notre démocratie a une portée bien plus importante qu'une voiture piégée ou un missile. Ils représentent la peur du changement. La peur à l'égard de ceux qui paraissent, parlent et prient différemment. Le mépris pour l'autorité de la loi qui demande des comptes aux dirigeants. L'intolérance envers la contestation et la libre-pensée. La croyance que l'épée, le fusil, la bombe ou la machine de propagande sont l'arbitre suprême de la vérité et du bien.

Grâce au courage extraordinaire de nos hommes et femmes en uniforme, à nos agents de renseignement, à nos forces de police et à nos diplomates qui soutiennent nos troupes (*Applaudissements*), aucune organisation terroriste n'a réussi à planifier et à mettre à exécution une attaque dans notre pays au cours des huit années passées. (*Applaudissements.*) Et bien que Boston, Orlando, San

Bernardino et Fort Hood nous rappellent combien la radicalisation peut se révéler dangereuse, nos agences du maintien de l'ordre sont plus efficaces et vigilantes que jamais. Nous avons éliminé des dizaines de milliers de terroristes — y compris Ben Laden. (*Applaudissements.*) La coalition internationale que nous dirigeons contre l'État islamique a supprimé ses chefs et repris environ la moitié de son territoire. L'État islamique sera détruit, et quiconque menace l'Amérique ne sera jamais en sécurité. (*Applaudissements.*)

À tous ceux qui servent ou qui ont servi dans l'armée, cela a été mon plus grand honneur d'être votre commandant en chef. (*Tonnerre d'applaudissements.*) Nous vous adressons tous notre plus profonde gratitude. (*Le public se lève.*)

Pourtant, protéger notre mode de vie n'est pas seulement le travail de nos militaires. La démocratie peut s'effondrer lorsqu'elle cède à la peur. Ainsi, tout comme nous devons tous, en tant que citoyens, rester vigilants à l'égard des agressions extérieures, nous devons nous prémunir contre l'affaiblissement des valeurs qui font de nous ce que nous sommes. (*Applaudissements.*)

C'est pourquoi, ces huit dernières années, j'ai œuvré pour que la lutte contre le terrorisme soit plus solidement ancrée dans le droit. C'est pourquoi nous avons mis fin à la torture, entrepris de fermer le camp de Guantánamo, réformé nos lois régissant la surveillance afin de protéger la vie privée et les libertés civiques. C'est pourquoi je rejette la discrimination contre les Américains de

confession musulmane (*Tonnerre d'applaudissements*) qui sont aussi patriotes que nous. (*Le
public se lève.*)

C'est pourquoi nous ne pouvons pas nous retirer
des grands combats mondiaux : pour renforcer
la démocratie, les droits humains, les droits des
femmes et les droits LGBT. (*Applaudissements.*)
Même si nos efforts restent imparfaits, même
s'il peut paraître opportun d'ignorer ces valeurs,
c'est cela aussi défendre l'Amérique. Car le combat contre l'extrémisme et l'intolérance, contre le
sectarisme et le chauvinisme, va de pair avec le
combat contre l'autoritarisme et l'agression natio-
naliste. Si la liberté et le respect du droit dimi-
nuent dans le monde, alors les risques de guerres
au sein des nations et entre les nations augmen-
teront, et nos propres libertés finiront par être
menacées.

Alors soyons vigilants, mais n'ayons pas peur.
(*Applaudissements.*) L'État islamique essaiera de
tuer des innocents. Mais il ne pourra pas vaincre
l'Amérique, sauf si nous trahissons notre Constitution et nos principes dans la bataille. (*Applaudissements.*) Des pays rivaux comme la Russie ou
la Chine ne peuvent égaler notre influence dans
le monde, sauf si nous renonçons à nos valeurs et
que nous nous transformons en un vulgaire grand
pays qui fait pression sur ses plus petits voisins.

Ceci m'amène à mon dernier point : notre démocratie est menacée chaque fois que nous la tenons
pour acquise. (*Applaudissements.*) Nous tous, quel
que soit notre parti, devrions nous lancer dans la

reconstruction de nos institutions démocratiques. (*Applaudissements.*) Dans la mesure où notre taux de participation électorale est parmi les plus faibles des démocraties avancées, nous devrions faciliter l'accès aux urnes au lieu de le compliquer. (*Tonnerre d'applaudissements.*) Dans la mesure où la confiance dans nos institutions est faible, nous devrions réduire l'influence néfaste de l'argent dans notre vie politique et insister sur les principes de transparence et d'éthique dans la fonction publique. Dans la mesure où le Congrès est dysfonctionnel, nous devrions redécouper les circonscriptions électorales afin d'encourager les hommes et femmes politiques à satisfaire au bon sens et non pas aux rigides extrêmes. (*Applaudissements.*)

Souvenez-vous que rien de tout cela ne se produit seul. Tout cela dépend de votre participation, de la responsabilité citoyenne que chacun de nous doit accepter, quelle que soit la direction prise par le pendule du pouvoir.

Notre Constitution est un cadeau remarquable. Mais ce n'est en fait qu'un morceau de parchemin. Sans aucun pouvoir en tant que tel. *Nous*, le peuple, lui donnons du pouvoir. (*Applaudissements.*) *Nous*, le peuple, lui donnons du sens. Par notre participation, par nos décisions, par les alliances que nous forgeons. Que nous défendions ou pas nos libertés. Que nous respections et fassions respecter ou pas l'autorité de la loi. Cela ne dépend que de nous. L'Amérique n'est pas fragile. Mais ce que nous avons gagné au cours de notre long voyage vers la liberté n'est pas garanti.

Dans son propre discours d'adieu, George Washington écrivait que l'autonomie gouvernementale forme le socle de notre sécurité, de notre prospérité et de notre liberté. Toutefois, « certains, pour différentes raisons et de différentes sphères, s'emploieront... à affaiblir dans vos esprits la conviction de cette vérité ». C'est pourquoi nous devons la préserver avec un « zèle vigilant » et rejeter « les prémices de toute tentative d'aliéner une partie de notre pays ou d'affaiblir les liens sacrés » qui nous unissent. (*Applaudissements.*)

Peuple d'Amérique, nous affaiblissons ces liens lorsque nous laissons notre dialogue politique devenir tellement destructeur que des gens honnêtes ne souhaitent même pas entrer dans la fonction publique, être envahi par la grossièreté et les rancœurs au point que les Américains avec qui nous sommes en désaccord ne sont pas simplement perçus comme malavisés mais comme malveillants. Nous affaiblissons ces liens lorsque nous définissons certains d'entre nous comme plus américains que d'autres (*Applaudissements*), lorsque nous considérons que tout le système est forcément corrompu, et lorsque nous nous contentons de blâmer les dirigeants que nous avons élus sans examiner le rôle que nous avons joué dans leur élection. (*Applaudissements.*)

Il incombe à chacun de nous d'être au nombre de ces gardiens zélés et vigilants de notre démocratie, d'embrasser la tâche réjouissante qui nous a été confiée d'œuvrer sans relâche à l'amélioration de notre grande nation. Car malgré toutes nos différences extérieures, nous tous, de fait, partageons le même noble titre, le devoir le plus important dans une démocratie : celui de citoyen. (*Applaudissements.*) Citoyen.

Donc, voyez-vous, c'est ce que requiert notre démocratie. Elle a besoin de *vous*. Pas seulement à l'occasion d'une élection, pas seulement quand vos intérêts particuliers sont en jeu, mais tout au long de votre vie. Si vous en avez assez de vous disputer avec des inconnus sur Internet, essayez de parler avec l'un d'eux dans la vraie vie. (*Rires et applaudissements.*) Si quelque chose a besoin d'être réparé, alors lacez vos chaussures et mettez en place des solutions. (*Tonnerre d'applaudissements.*) Si vous êtes déçus par vos élus, prenez un porte-bloc, réunissez des signatures et présentez votre propre candidature aux élections. (*Tonnerre d'applaudissements.*) Montrez-vous. Foncez. Tenez bon.

Parfois vous gagnerez. Parfois vous perdrez. Présumer que les autres débordent de vertu, cela peut être risqué, et il y aura des moments où le processus vous décevra. Mais pour ceux d'entre nous qui ont eu la chance de participer à ce travail et de l'observer de très près, je peux vous dire combien c'est stimulant et exaltant. Et la plupart du temps, votre foi en l'Amérique — et en vos compatriotes — sera renforcée.

La mienne l'a été assurément. (*Applaudissements.*) Au cours de ces huit années, j'ai vu les visages pleins d'espoir de jeunes diplômés et d'officiers nouvellement promus. J'ai pleuré avec des familles endeuillées en quête de réponses, et j'ai trouvé la grâce dans une église de Charleston. J'ai vu nos scientifiques aider un homme paralysé à retrouver son sens du toucher. J'ai vu des soldats blessés, qu'on croyait plusieurs fois perdus, réussir à remarcher. J'ai vu nos médecins et volontaires reconstruire des pays après des tremblements de terre et enrayer des pandémies. J'ai vu de très jeunes enfants nous rappeler par leurs actions et leur générosité notre obligation de venir en aide aux réfugiés ou d'œuvrer pour la paix et, surtout, d'être solidaires. (*Applaudissements.*)

Ainsi, cette foi que j'ai placée il y a si longtemps, tout près d'ici, dans la capacité des Américains ordinaires de changer les choses — cette foi a été récompensée de bien des manières que je n'aurais pu imaginer. Et j'espère qu'il en a été de même pour votre foi. Certains d'entre vous, ici présents ou devant leur poste de télévision, étaient là avec nous en 2004, 2008, 2012. (*Applaudissements.*) Vous n'arrivez peut-être toujours pas à croire que nous sommes parvenus à réaliser tout cela. (*Rires.*) Je peux vous dire que vous n'êtes pas les seuls. (*Rires.*)

Michelle... (*Obama se tourne vers son épouse. Le public se lève sous un tonnerre d'applaudissements.*) Michelle LaVaughn Robinson, fille du South Side[1]. (*Applaudissements.*) Depuis vingt-cinq ans, tu n'as pas été seulement ma femme et la mère de mes enfants, tu as été ma meilleure amie.

---

1. Quartier de Chicago, proche du lieu du discours.

(*Applaudissements.*) Tu as assumé un rôle que tu n'avais pas demandé et que tu t'es approprié, avec grâce et courage, avec classe et bonne humeur. (*Tonnerre d'applaudissements. Émotion visible d'Obama.*) Tu as fait de la Maison-Blanche un lieu qui appartient à tous. (*Applaudissements.*) Et les jeunes visent plus haut car tu es un modèle pour la nouvelle génération. (*Applaudissements.*) Tu m'as rempli de fierté. Et tu as rempli ce pays de fierté. (*Applaudissements.*)

Malia et Sasha… (*Obama se tourne vers sa fille présente dans l'assistance. Applaudissements.*) Dans les circonstances les plus étonnantes qui soient, vous êtes devenues deux fabuleuses jeunes femmes. (*Applaudissements.*) Vous êtes intelligentes, vous êtes belles, mais surtout vous êtes pleines de gentillesse, de délicatesse et de passion. (*Applaudissements.*) Vous avez porté le fardeau d'années passées sous les projecteurs avec une aisance incroyable. De tout ce que j'ai réalisé dans ma vie, être votre père est ma plus grande fierté. (*Applaudissements.*)

À Joe Biden… (*Obama se tourne vers lui. Le public se lève sous un tonnerre d'applaudissements. Émotion visible d'Obama.*) Le gamin pugnace de Scranton devenu le fils préféré[1] du Delaware. Tu as représenté ma première décision en tant que candidat, et c'était la meilleure. (*Tonnerre d'applaudissements.*) Pas seulement parce que tu as

---

1. Aux États-Unis, le « fils préféré » désigne entre autres un candidat soutenu officiellement par son État d'origine.

été un grand vice-président, mais parce qu'en plus de cela, j'ai trouvé un frère. Nous vous aimons, toi et Jill, comme notre famille, et votre amitié a été l'une des grandes joies de notre vie. (*Applaudissements.*)

À ma remarquable équipe — pendant huit ans, et bien plus longtemps encore pour certains d'entre vous, j'ai puisé dans votre énergie, et j'ai tâché chaque jour de refléter ce dont vous avez fait preuve : de compassion, de caractère et d'idéalisme. Je vous ai regardés grandir, vous marier, avoir des enfants, entamer de nouveaux voyages personnels incroyables. Même dans les moments difficiles et frustrants, vous n'avez jamais laissé Washington avoir raison de vous. Vous vous êtes méfiés du cynisme. Et la seule chose qui me rend plus fier que tout ce que nous avons réalisé de bon, c'est de penser à tout ce que vous allez accomplir d'extraordinaire à partir de maintenant. (*Applaudissements.*)

À vous tous — tous les organisateurs qui sont venus dans une ville qui ne leur était pas familière, toutes les familles qui les ont accueillis, tous les bénévoles qui ont toqué aux portes, tous les jeunes qui sont allés voter pour la première fois, tous les Américains qui ont vécu et insufflé la tâche difficile du changement (*Applaudissements*) — vous êtes les meilleurs sympathisants et organisateurs qu'on puisse espérer, et je vous serai éternellement reconnaissant. (*Applaudissements.*) Car vous avez bel et bien changé le monde. (*Applaudissements.*) Vous l'avez fait.

Et c'est la raison pour laquelle ce soir je quitte cette scène encore plus optimiste sur ce pays qu'à notre arrivée. Car je sais que notre travail n'a pas seulement aidé de nombreux Américains, il en a incité beaucoup — notamment beaucoup de jeunes (*Applaudissements*) — à croire que vous pouvez changer les choses (*Applaudissements*), à viser quelque chose qui vous transcende.

Laissez-moi vous dire que vous, représentants de la nouvelle génération — généreuse, altruiste, créative, patriote —, je vous ai vus dans tous les coins du pays. Vous croyez en une Amérique juste, équitable et qui n'exclut personne. (*Tonnerre d'applaudissements.*) Vous savez que le changement perpétuel est la marque de l'Amérique, qu'il ne faut pas le craindre mais l'embrasser. Vous êtes prêts à faire avancer ce dur labeur de la démocratie. Vous allez bientôt être plus nombreux que nous, et je crois par conséquent que l'avenir est entre de bonnes mains. (*Tonnerre d'applaudissements.*)

Mes chers concitoyens, cela a été l'honneur de ma vie que de vous servir. Je ne m'arrêterai pas. (*Applaudissements.*) En fait, je serai ici à vos côtés, en tant que citoyen, pour le restant de mes jours. Mais pour le moment, que vous soyez jeunes en âge ou jeunes d'esprit, j'ai une dernière chose à vous demander en tant que président — c'est la même chose que j'ai demandée quand vous avez parié sur moi il y a huit ans. Je vous demande de croire. Non pas en ma capacité de changer les choses, mais en la vôtre.

Je vous demande de rester fidèles à cette croyance inscrite dans nos documents fonda-teurs — cette idée que murmuraient les esclaves et les abolitionnistes, cet esprit que chantaient les immigrants, les pionniers et tous ceux qui ont manifesté pour la justice, ce credo que réaffir-maient ceux qui ont planté des drapeaux depuis les champs de bataille à l'étranger jusqu'à la sur-face de la Lune, un credo niché au cœur de tous les Américains dont l'histoire reste à écrire : *Yes, we can.* (*Tonnerre d'applaudissements.*)

Oui, nous l'avons fait. Oui, nous pouvons. (*Le public se lève.*)

Je vous remercie. Que Dieu vous bénisse et qu'Il continue de bénir les États-Unis d'Amérique. (*Applaudissements.*)

COLLECTION FOLIO 2 €

Dernières parutions

Composition Nord Compo
Impression Novoprint
à Barcelone, le 20 août 2018
Dépôt légal : août 2018
ISBN 978-2-07-277731-8./Imprimé en Espagne.